丈月 城
Illustration
シコルスキー
カンピオーネ!
神はまつろわず
Campione

?
?
?
護
堂
祐
理

エリカ
甘粕
アンナ
静花

燦《きら》めく。
護堂の周囲で、
黄金の小さな輝きが
天の星々のように
次々と燦めき出す。

「剣の言霊!?」

「こっちへ来て、護堂。
あなたがいるべき場所は、
いつだって
わたしの傍なんだからね」

「ふしだらな真似は
お慎み下さいませ。
――エリカさんも、
もちろん草薙さんも。
おわかりになりますよね？」

# Contents

目次

丈月 城
Illustration
シコルスキー
カンピオーネ!
神はまつろわず
Campione

# 序章

【一九世紀イタリアの魔術師、アルベルト・リガノの著書『魔王』より抜粋】

……この恐るべき偉業《いぎょう》を成《な》し遂《と》げた彼らに、私は『カンピオーネ』の称号を与えたい。

読者諸賢《しょけん》のなかには、この呼称を大仰《おおぎょう》なものだと眉《まゆ》をひそめる方がいるかもしれない。あるいは、私の記録を誇張《こちょう》したものとみなす方もいるかもしれない。

だが、重ねて強調させていただく。

カンピオーネは覇者《はしゃ》である。

天上の神々を殺戮《さつりく》し、神を神たらしめる至高の力を奪い取るが故《ゆえ》に。

カンピオーネは王者である。

神より簒奪《さんだつ》した権能《けんのう》を振りかざし、地上の何人からも支配され得ないが故に。

カンピオーネは魔王である。

地上に生きる全《すべ》ての人類が、彼らに抗《あらが》うほどの力を所持できないが故に！

【二〇世紀初頭、枢機卿《すうききょう》アントニオ・テベスが教皇庁に宛てた書簡より抜粋】


神に背を向け、悪魔の知識を玩《もてあそ》ぶ魔道師どもに『王』と崇《あが》められる存在がございます。

おそらく、皆様も彼奴《きゃっ》らの称号を一度は耳にしたことがおありでしょう。

カンピオーネ。エピメテウスの落とし子。魔王。

極めて遺憾《いかん》ながら、この者たちに抗う術《すべ》を我ら人類は持ちません。

彼奴らと互角に戦い得るのは、同等のカンピオーネか父なる神に仕える天使たち、または忌《い》まわしき異教の神々だけなのです……。


【二一世紀初頭、新たにカンピオーネと確認された日本人についての報告書より抜粋】


ペルシアの神ウルスラグナは、複雑な属性を所有する神です。

元々は主神ミスラに仕える軍神であり、後世のゾロアスター教においては武力に秀《ひい》でた守護神《ヤザタ》として崇拝《すうはい》されるようになりました。

この神は一〇の姿に変身を遂げるという特性を備えています。

はじめは強風の姿で現れ、雄牛《おうし》、白馬、駱駝《らくだ》、猪《いのしし》、少年、鳳《おおとり》、雄羊《おひつじ》、山羊《やぎ》、そして黄金の剣を持つ人間の戦士へと化身します。

ウルスラグナは次々と姿を変えながら常に勝利をつかみとり、崇拝者にも勝利をもたらす存在――すなわち『勝利』を神格化した神だと言えます。

草薙《くさなぎ》護堂《ごどう》とは、この勝利の神を殺害し、カンピオーネとなった少年なのです。


【グリニッジの賢人議会により作成された、草薙護堂についての調査書より抜粋】


すでに述べた通り、草薙護堂がウルスラグナより簒奪《さんだつ》した権能『東方《とうほう》の軍神《ぐんしん》（The Persian Warload)』には、幾《いく》つかの制約が存在するものと推測される。

このため、彼は能力を自在に行使することができず、先達《せんだつ》のカンピオーネたちが所有するような絶対的権威《けんい》を獲得するには至っていない。

しかし、忘れないでいただきたい。

不完全に見えても、彼はまちがいなくカンピオーネである。か弱き人の子に過ぎない我ら魔術師を凌駕《りょうが》する魔王のひとりなのだ。

尚、草薙護堂は当時も今も魔術／呪術の知識を一切持たない。

これは、魔術師の上位存在がカンピオーネなのではなく、魔術師とカンピオーネはあくまで似て非なる者だという説の証明になるかもしれない……。

# 第1章　ローマの休日

## 1

不思議なもので、国がちがえば空の色合いも微妙に変わる。

今、草薙《くさなぎ》護堂《ごどう》が空港の窓から見上げる空は、曖昧《あいまい》な奥深さを持つ日本の青空ではない。もっと突き抜けるように高い、呆《あき》れるほど青々としたラテンの国の空だ。

目の前に視線を転じれば、国籍、人種共にさまざまな人々が行き交《か》っている。日本ではあまりお目にかかれない風景だった。

――フィウミチーノ空港。

レオナルド・ダ・ヴィンチ空港ともいう。イタリアの首都ローマにある国際空港であった。

修学旅行で来ているわけではないので、この場にいる日本人の高校生はおそらく護堂だけだろう。

「あと半年は絶対に、来ないつもりだったのになあ……」

せわしなく人が往《い》き来するターミナルで、護堂は遠い目をしながらつぶやいた。

一二時間も飛行機に揺られた末に、ようやくたどり着いたラテンの国である。ずっと座りっぱなしだった疲れと時差ボケのせいで、とにかく体がだるかった。

「いつものことだけど、あいつは本当に人の都合《つごう》を考えないよな」

あくびをかみ殺しながら、人混みの中から知人の顔を探す。

目当ての人物は、とにかく目立つ。

なぜか王冠《おうかん》のように思えてしまう、鮮やかな金髪。護堂が知る限り、どんな女性よりも華麗《かれい》に映える美貌《びぼう》。衆目を集めることが当然だと言わんばかりの横柄《おうへい》さ――。

接近してくれば、一目でわかる容姿の持ち主なのだ。

しかし、彼女――エリカ・ブランデッリは一向に現れない。

ビジネスマン風のスーツ姿から、ラフなバックパッカー、一目でツアー観光とわかる団体組など、周囲の人々は多彩な顔ぶれだったが、エリカの姿は見つけ出せなかった。

……約束の時間に遅れる悪癖《あくへき》を、イタリア人は多かれ少なかれ持つという。

だがエリカの場合、文化的・民族的背景に基づく遅刻ではなく、単に彼女のずぼらさが遅刻させているのではないか。

ここ何カ月かのつきあいで、そう確信しつつある護堂であった。

しかも、エリカ・ブランデッリはずぼらなだけではない。唯我独尊《ゆいがどくそん》でもあり、常に自分の都合を最優先させるワガママ女でもある。

昨日、唐突《とうとつ》にかけてきた電話でも言ったものだ。

『聞いて。いま、護堂がわたしのところに来てくれると、すごく都合がいいの。――ということだから、明日の朝の便でこっちに来なさい。迎えにいってあげる』

開口一番、この言い草である。

五月も終わりに近い、週末の午後。

携帯電話の着信時間は金曜日の午後四時過ぎだった。

「そこで、なぜ『ということだから』なんて接続詞が出てくる？　おまえの都合に合わせてやる義理は、俺にはないぞ。こっちにも予定がある。他を当たってくれ」

いきなり何を言うのか、この女は……。

ちょうど高校からの帰り支度《じたく》をしていた護堂は、邪険《じゃけん》にあしらった。

『わたしがあなたに会いたくなったんだから、それに応えるのは当然でしょ？　護堂だって、わたしが恋しくてたまらないはずだし、いいプランじゃない？』

「べつに恋しくなんかない。俺の感情を捏造《ねつぞう》するのはやめろ。……大体な、この前会ったのは二週間前だぞ。半月も経ってないんだぞ？　東京とミラノで暮らしているふたりが、こんなペースで会っている現状をすこしはおかしく思え」

なるべく淡々《たんたん》と訴える。

この女の傍若無人《ぼうじゃくぶじん》ぶりにも慣れた。あちらのペースに巻きこまれてはいけない。

『ええ。半月も会えないなんて、護堂がかわいそうで仕方ないわ。愛するわたしと離れて暮らすことでかかる心労、察するに余りあるもの。……この件に関しては、わたしにも改善案があるから、期待していなさい。それよりも明日の段取りなんだけど――』

かまわず、エリカは話を進めようとする。

さすがは年齢＝唯我独尊歴の女である。こちらの事情など、まったく考慮しない。

「やめろ、エリカ。その話はここまでだ。きちんと筋を通して、互いの予定をすり合わせて会おうって話なら聞いてやる。そのつもりがないなら、電話を切るぞ」

『さすがは護堂ね。わたしからのデートの誘いに飛びつかないのは、きっとあなたぐらいよ。……他の男の子を誘ったことはないから、多分だけど』

笑みを含んだ声でエリカが言う。

確信犯だったのかと、護堂は眉をひそめた。

相変わらず性格が悪い。……まあ、この女の悪魔っぷりを知っていたとしても、血迷う男は大勢いそうだが。

『なら、改めて言うわ。草薙護堂、すぐにイタリアへ来てちょうだい。あなたの手を借りる必要があるの。わたしだけの力じゃ解決が難しい案件だから、真剣に考えて。このエリカ・ブランデッリ、我が誇《ほこ》りにかけて嘘《うそ》は言ってないわ』

いきなり真面目な声で言ってきた。

しかも、『誇り』の一言まで出た。これをかけた以上、絶対に嘘ではない。エリカ・ブランデッリにとって、誇りは何にも勝《まさ》る最優先事項なのだ。

——仕方ない。護堂はため息をついた。

エリカはたしかにワガママだし、人の都合を無視する。勝手気ままで性格も悪いヤツだ。だが、何度も自分の命を救ってくれた恩人でもあるのだ。

こうまで言われて、断るわけにはいかない。

「……わかったよ。言う通りにしてやるから、迎えに来い」

『うれしい回答ね。あなたの騎士道精神に祝福がありますように』

「で、俺は何をすればいいんだ？　わかってるとは思うけど、いかがわしいことの手助けはしないから、そのつもりでいろよ」

『もちろん。あなたは王として振る舞い、王として戦うだけでいい。あとはわたしが上手く仕切ってみせるから。……でも、切り札を使わなくても済んだのは、良かったわ。あまり後味がいいものでもないしねー』

「切り札？」

いきなり剣呑《けんのん》な発言をするエリカに、護堂は驚いた。

『ええ。やっぱり、護堂にはわたしのおねだりを聞く義務があると思うの。その辺りのこと、どう思う？』

「どうって、バカ言うなよ。友達同士でおねだりとか言われてもだな……」

『——くせに』

エリカが小声でつぶやいた。

これは、人をもてあそぶのが愉《たの》しくてたまらない悪魔のささやき声だ。護堂は思わず逃げ出したくなった。

『わたしの純潔を奪ったくせに、酷《ひど》い人。シチリアでの、あの熱い一夜のことを忘れてしまったの？』

「あ、あれは仕方のないことだっただろ。互いの利害が一致した結果、納得《なっとく》ずくで行為に及んだわけでだな……」

『ええ、そうね。わたしは心から望んで、あなたに純潔を捧げたわ。でも、あの後から護堂ったら急に冷たくなって……。釣《つ》った魚にエサをやるつもりはないんだ？』

文句を言い立てながらも、エリカの口調は本当に愉しげだった。

この悪魔め！　護堂は心のなかで毒づいた。

「その誤解を招きそうな表現はやめろ。それじゃあ俺たちが只《ただ》ならぬ関係になったみたいじゃないか！　人に聞かれたら誤解される」

『只ならぬ関係だもの。あの後だって、わたしたちは何度も唇を合わせ、体を重ねて——』

「だ、だから、そういう変な言い方はやめてくれ！」

『じゃあ、ここで質問。わたしたちのしてきたことを、あなたの可愛《かわい》い妹さんに教えてあげたら、どうなると思う？』

護堂は自らの敗北を悟《さと》った。

多分に誇大《こだい》な表現を含んではいたが、エリカの言葉にウソはない。何かと口うるさい静花《しずか》には聞かせたくない話だ。かなり面倒な事態になってしまう。

いま、海を隔《へだ》てた遥《はる》か異国の地で、彼女はまちがいなく微笑《ほほえ》んでいるだろう。

華麗な美少女が、快心の微笑で勝ち誇る――その情景を、護堂はあざやかに思い描くことができた。

「おまえ、あのことや妹を強請《ゆす》りのネタに使う気だったのか……」

『大丈夫。護堂がわたしに誠意を示しつづける限り、妹さんにご迷惑《めいわく》をおかけするような事態にはならないわ。我が誇りにかけて誓います』

「そんな誓いに誇りをかけるな！　卑怯《ひきょう》な脅迫《きょうはく》行為は、誇りに反さないのか！」

こうしてイタリア行きは唐突《とうとつ》に決まったのである。

荷物をまとめるために帰宅した護堂は、確信をもって家のポストを開けてみた。

……やはり、エアメールが届いていた。

差出人はエリカ・ブランデッリ。

中には成田発ローマ着の航空券が同封されていた。

普通に郵送されたものではない。消印が押されてないのだから、断言できる。

エリカの所属する怪しげな『騎士団』の東京支部とやらがこっそり投函《とうかん》したか、真っ当でない手段――『魔術』とやらでミラノから送ってきたものにちがいなかった。

「あの、すいません」

所在なくエリカを待つ護堂の物思いは、日本語の呼びかけで中断させられた。

流暢《りゅうちょう》な、しかもネイティブの発音である。

「黒髪、黒目、身長一八〇センチ程度、造《つく》りは悪くないくせに隙《すき》だらけっぽいから減点二〇の顔……草薙護堂さん、ですよね？」

声の主を見ると、黒髪の女性だった。おそらく護堂よりも二つか三つ歳上だろう。

「わたし、アリアンナ・ハヤマ・アリアルディと申します。エリカさまのお申しつけでお迎えにあがりました。よろしくお願いします」

「それはどうも、ご丁寧に……ところで今のひどいコメントの出所《でどころ》はエリカのヤツですよね？」

「ええ。やっぱりまちがえてなかったんですね、よかった」

アリアンナ嬢《じょう》に悪気はなさそうだ。

やんわりと微笑む彼女の背丈は一六〇センチを少し越すほどで、日本人の女性とほとんど変わらない。楚々《そそ》とした風情の、可憐《かれん》な顔立ちでもある。

エリカの関係者とは思えないほど、無害そうな女性だった。

それとも、こんな虫も殺さないような顔をして怪力無双、常に刃物を隠し持つ凶状持ちだったりするのだろうか？

「名前でおわかりでしょうけど、祖父は日本の生まれです。だから、草薙さんのお世話を任されたんですね。アンナと呼んでください。お友達はみんな、そう呼ぶんです」

「なら、俺のことは護堂でいいですよ。友達全員に呼ばれているわけじゃありませんが、エリカのヤツはそう呼びます」

「わかりました、護堂さん」

屈託《くったく》なくアンナ嬢は笑う。

そよ風になびく百合の花にも似た、涼《すず》やかな可憐さだ。

しかし、エリカを『さま』付けして呼ぶ以上、彼女もあの怪しい連中——魔術師や騎士を自称する、時代錯誤《さくご》な一党の仲間なのだ。

「アンナさんは、あんまりエリカの仲間っぽくないですね。普通の人みたいだ」

「……あ、やっぱり、そう思われますか？　わたし、あまり才能がないもので、まだ見習いなんです。幸いエリカさまに目をかけていただいて、直属の部下をやっています」

たしかにアンナ嬢はまだ若く、初々《ういうい》しい。怪しげなところが全くない。

見習いと言われて、護堂は納得した。

「あいつの直属……大変そうですね。危険でしょう？」

「あ、いえ、やることは身の回りのお世話なので、危険なことはあんまり。それにエリカさまはお強いですから、いつも守ってくださいますし」

身の回りの世話。

それはもう部下というより、メイド扱いではないか。

ものぐさなエリカのことだから、自分ですればいいことまで素直そうなアンナに押しつけていそうだ。

……護堂は、この歳上の女性が不憫《ふびん》になってきた。

おそらく、彼女もエリカの被害者なのだろう。なるべく親切にしてあげたいものだ。

「ところで、俺を呼びつけた当人はどうしているんですか？」

「エリカさまは今、大切な会合があって、そちらに出ておいでなんです。終わり次第、会いにいらっしゃるということなので、それまではわたしが責任を持ってお世話いたします」

おまかせください、とアンナは言う。なかなか頼もしげである。

「アンナさんは俺が何をしたらいいのか、聞いていますか？　エリカのヤツ、詳しい話はしないまま俺を呼び出したんで、事情がわかってないんですよ」

「申し訳ありません、わたしも存じあげてはいないんです。ただ護堂さんはエリカさまの大切なお客さまだから、粗相《そそう》がないようにと言われただけで……」

「それだけ？　俺がどんな人間なのかも教えてもらってないんですか？」

「はい。……もしかして、護堂さんは超重要人物だったりするんでしょうか？　わたしが何も知らされてないだけ、みたいな」

「超重要、ではないと思います。大雑把《おおざっぱ》に言えば、エリカに無理矢理呼び出された日本の高校生ということで問題ないはずです」

問題は、自分が大雑把にカテゴライズできない存在であることなのだが。

わざわざ吹聴《ふいちょう》する必要もないので、護堂はあえて話さなかった。

「あ、こんなところで話しこんでいちゃダメですね。街へ出ましょう。護堂さん、ローマは初めてなんですよね？」

「ええ。まあ、エリカに呼び出されたときは、どこへ行ってもゆっくりできませんけど」

「今回はすこし余裕がありますよ。連絡があるまでは自由にしていいって、エリカさまはおっしゃっていましたから。わたしがご案内して差し上げます。車も用意してあるんです」

「車ですか……。運転手付きのＢＭＷとかは勘弁《かんべん》してください。ああいうのには慣れてないから、落ち着かないんです」

エリカが車を手配するときは、大抵《たいてい》そうなる。

前に訊《き》いたら、普通のバスや電車に乗った経験はほとんどないという。さすがにアンナも同類だとは考えにくいが……。

「そんな贅沢《ぜいたく》はしません。運転手さんはわたしですから、お任せくださいね」

安心させるように微笑んでから、アンナは歩き出す。

そのあとに続きながら、護堂は感心していた。エリカの人選にしては、アンナ嬢はおそろしくまともな出迎え役ではないか。

気配りも細やかそうだし、何より普通の人間っぽいのがすばらしい。

……この感想がただの早とちりだったと痛感するのは、もう少し先の話である。

2

サヴォイア公家の姫君が使っていた館を改装したとかいうホテルの広々とした一室で、会合は行われていた。

まだ昼間なのにカーテンを締め、外からの視線を完全に遮断《しゃだん》している。

わざわざ運び込ませた大きなテーブルを囲む人数は、彼女を入れて四人。

まずは彼女——エリカ・ブランデッリ。

一六歳のエリカが、この場でいちばん若い。

老人が二名いる。彼らは《老貴婦人》と《雌狼《めろう》》——この国の爛熟《らんじゅく》し切った魔術の世界でも、特に古く強力な騎士団の総帥《そうすい》たちだ。

古風な呼び方をすれば、グランドマスターである。

そして、最後の四人目は青年だった。

騎士団《百合《ゆり》の都》を代表する若き総帥。歳はまだ三〇前のはずだ。

この男は、彼女と同格である。

《赤銅黒十字《しゃくどうくろじゅうじ》》を代表するエリカと同じく、『大騎士』の位階《いかい》を持つ騎士なのだ。

古《いにしえ》の世より、魔術師は数多く生まれてきた。

ケチな詐欺師《さぎし》もいれば、偉大《いだい》な導師もいた。刀槍《とうそう》の技と魔術を共に修めた『騎士』も、その一員だ。エリカたちは、かつて中世を闊歩《かっぽ》したテンプル騎士団——神の子と魔神バフォメットを共に奉《ほう》じる、魔術師にして武人であった者たちの後裔《こうえい》なのだ。

大騎士の称号は、その中でも類《たぐ》いまれな勇士にしか許されない。

「さて諸君、そろそろ結論を出すべきではないかな。われわれ全員にとって頭痛の種である、今回のゴルゴネイオン——果たして、誰へ預けるべきか？」

《老貴婦人》の総師が提言する。

即座に異を唱えたのは、《雌狼》の長であった。

「預ける？　どうかな、それは。私にはあまり賢い策とも思えないのだが。我らの盟主《めいしゅ》たるサルバトーレ卿《きょう》が不在だからといって、異邦《いほう》の王を頼ったとあってはあまりに情けない。いい笑いものではないかね？」

「笑いたい連中には笑わせておけばいいさ。重要なのは今回のゴルゴネイオンが本物で、今のわれわれには仰ぐべき王がいない、という状況だ。一時の恥《はじ》など些細《ささい》な問題だよ」

「恥辱《ちじょく》だけならばいい。しかし、王の怒《いか》りはどうだ？　我らがべつの王を頼ったとサルバトーレ卿が知れば、どれほどお怒りになると思う？　私はそちらの方が恐ろしいね」

ただの老人が言っているのではない。

剣技に優れ、この世ならぬ秘術まで身につけた老魔術師が、『王』への畏怖《いふ》を隠すことなく露《あら》わにしている。

そう、最強の騎士、最高の魔術師といえども『王』と『神』にはかなわない。

それがこの世の理《ことわり》なのだ。

「しかし、サルバトーレ卿がそのように些細《ささい》なことを気にされるでしょうか？　あの方は我々のことなど、蜂《はち》の巣に集まる蜜蜂《みつばち》程度にしか思われていない。蜜蜂が新たな女王を選んだところで、お怒りになりはしないでしょう」

老人ふたりの口論に割り込んだのは、《百合の都》の長だった。

一九〇センチ近い長身の男で、顔の下半分を無精髭《ぶしょうひげ》が覆《おお》っている。整ってはいるが、ひどく陰気そうな顔つきだ。

品のいいスーツに合わせるネクタイは、やや悪趣味な紫色である。

《百合の都》を象徴する色は紫《ヴィオラ》。

その一員がどこかに紫色を帯びるのは、義務とさえ言える。

エリカの身につける深紅のフォーマルドレスと黒薔薇《くろばら》を模した頭飾りも、《赤銅黒十字》の象徴たる紅と黒《ロッソネロ》を表すものだ。

「とはいえ、どの王を頼るべきかは私にも見当はつきませんが。ゴルゴネイオンは古き地母の徴《しるし》。最古の女神との対決といえば、ヴォバン侯爵《こうしやく》などは興味を示すでしょうがね。『まつろわぬ神』から免《まぬか》れるためにバルカンの魔王を招き入れては元も子もない」

かの魔王が本気で戦えば、都市のひとつやふたつは簡単に消滅してしまう。

何しろ彼が所有する『権能』は、大地に立つ全てを打ちのめし、引き裂き、粉砕する――そんな類《たぐい》のものばかりなのだから。

「頼るべき王はいます」

潮時か。そう判断したエリカは、ようやく口を開いた。

この無益な話し合いを終わらせるには、ちょうどいい頃合いだった。

「そういえば、アメリカのジョン・プルートー・スミス氏は我ら民草《たみくさ》の保護に熱心な、珍しい王だという。彼を大西洋の向こうから招聘《しょうへい》でもしますか？」

世間話でもするように、《百合の都》の長が訊《き》いてきた。

エリカの方も、カフェで雑談でも楽しむように気やすく応じる。

「いいえ。あのロサンゼルスの守護聖人さまは、西海岸を《蠅《はえ》の王》から保護することで手一杯だと聞いています。呼び出しに応じる余裕はないでしょうね、きっと」

若いふたりは、老人たちよりも余裕を持っていた。

事態を甘く見ているわけではないが、己の才覚への自信が不遜《ふそん》な態度を取らせるのだ。

「ならば、江南《こうなん》の羅濠教主《らごうきょうしゅ》？　それともコーンウォールの黒王子《ブラックプリンス》ですか？　彼らは自分たちを崇《あが》める結社の総帥です。我々が傘下に入らぬ限り、手を差し伸べてはくれないでしょう？」

「そのどちらでもありませんわ。ああ、アレキサンドリアのアイーシャ夫人でもないので、先に言っておきましょう」

「では、もう誰もいない。『王』――カンピオーネの位階を持つ者は、地上に六人のみ。もう全員の名前が出てしまった」

東欧《とうおう》の老侯爵と中国南方の武俠王《ぶきょうおう》、そして妖しき洞窟《どうくつ》の女王。

彼らはもう二世紀以上に渡って齢《よわい》を重ねる、古参の魔王たちである。そこへ続くのは新大陸の闇《やみ》を駆《か》ける異形《いぎょう》の英雄《えいゆう》と、大英帝国の叡智《えいち》を強奪した漆黒《しっこく》の貴公子だ。

そして今世紀になって、欧州最強の剣士が王の位を得た。

ここまでは魔術に関わる全ての者が知ることだろう。

だが、最後のひとり。東洋の島国が生んだ王の存在を知る者はまだ少ない。数少ない例外――自分のように、その戦いに間近で立ち合った者を除けば。

エリカはひそやかな優越感と共に、その名を口にした。

「いいえ。あとひとり、草薙護堂《くさなぎごどう》の名前がまだです。わたしは彼を――最も新しき王、七人目のカンピオーネである彼を選びます。サルバトーレ卿のいない今、われわれが庇護《ひご》を求めるべきは彼以外にありえません」

「草薙護堂！」

《雌狼》の総帥が、呻《うめ》くように短く言った。

「近頃、聞くようになった名前だな。このイタリアの地でカンピオーネになった日本人だというが……。所詮《しょせん》はうわさだ。確証はない」

「グリニッジの賢人議会が作成したレポートは私も読んだ。軍神ウルスラグナを倒し、化身の権能を簒奪《さんだつ》したという話だろう？　……どうにも信じがたいがな」

否定的な老人ふたりへ、エリカは尊大に微笑みかけた。

「では、この情報はご存じでしょうか？　いまサルバトーレ卿が行方《ゆくえ》知れずなのは傷の療養のためで、その傷を負わせたのは草薙護堂だということを。ええ、今から半月前の夜、ふたりの王が決闘し、死力を尽くした末に引き分けたのです。共に深傷《ふかで》を負いましたが、幸い草薙護堂はすでに快癒《かいゆ》しております」

「……草薙護堂が、サルバトーレ卿と引き分けた、だと？」

「ありえん！　卿の所有する権能は四つ。草薙護堂がうわさ通り本物だとしても、ひとつしか権能を持たないはず。圧倒的に不利だ。勝負になるまい！」

エリカは軽い侮蔑《ぶべつ》のまなざしを老人たちに向けた。

「世迷《よま》い言《ごと》をおっしゃいますのね。彼らは人の身でありながら神を殺し、王へと昇格した方々です。数字の上での戦力差など、どこまで意味があるでしょう？」

この言葉を受けて、老人ふたりが不機嫌《ふきげん》そうに黙《だま》り込む。代わりに口を開いたのは、《百合の都》の総帥であった。

「ひとつ、うかがわせていただきたい。エリカ・ブランデッリ、あなたは我々や賢人議会も知らないカンピオーネ同士の決闘をご存じだ。どうやってお知りになったのですか？」

『紫の騎士』――この称号を持つはずの青年が言った。

これは《百合の都》に属する大騎士が、代々受け継いでいく称号なのだ。

「簡単です、わたしはあの決闘の立会人ですもの。わたしは草薙護堂の戦いをいくつも見届けてきました。そのうえで申し上げます。あの方はいずれ、サルバトーレ卿やヴォバン侯《こう》に匹敵《ひってき》する魔王となるでしょう。その未来に備えて、我らはあの方との縁を深めておくべきだと思うのです」

「ほう——『紅き悪魔《ディアヴォロ・ロッソ》』たるエリカ嬢がそこまで肩入れするとは、末恐ろしい人物だ。しかも、お話から察するに、あなた個人はもう彼と浅からぬ結びつきがあるようですな」

「ええ。エリカ・ブランデッリはあの方の愛人であり、第一の騎士である——そう考えていただいて構いませんわ」

当人は激しく否定するであろう宣言を、エリカは不遜《ふそん》にしてみせた。

これが、向き合う者たちに感嘆《かんたん》のため息を吐《つ》かせた。

「《赤銅黒十字》は、草薙護堂の傘下となったたか！」

と嘆《たん》じたのは、《雌狼》の総帥だった。

『王』——すなわち、カンピオーネを擁《よう》する国は少ない。

全人類の中でも、たった七人しかいないのだから当たり前である。

しかし、このイタリアにはサルバトーレ・ドニという『王』がいる。数年前までは一介の騎士に過ぎなかった青年だが、ケルトの神王ヌアダを倒して資格を得た。

カンピオーネは欧州を中心に、強い権威《けんい》を持つ。

魔術に関わる者と、彼らの影響下にある政財界の重鎮《じゅうちん》たちが、『王』たるカンピオーネに忠誠を誓い、臣従《しんじゅう》するからだ。

彼らは覇者にして魔王——強大すぎる魔力ゆえに『王』と畏怖《いふ》される暴君である。

その力を恐れ、崇め、忠誠を誓おうとする個人や結社は決して少なくない。

「傘下に入ったわけではございませんわね。あくまで、わたくし独《ひと》りが彼の愛人としてお仕えしているだけですから。……もちろん、将来的にはありうる話だとは思いますが」

やんわりと微笑むエリカに、《老貴婦人》の総帥は鼻で笑い返した。

「なるほど、君がここに派遣された理由がやっとわかったよ。その歳で大騎士の位階を継承した神童とはいえ、われわれとの会合に居合わせるのは明らかに場違いだ。――察するに、エリカ嬢は若きカンピオーネをくわえ込むための餌《えさ》というところかね」

「今のご発言は、聞かなかったことにいたしましょう。紳士《しんし》である長老の評判に傷が付いてはいけませんものね。愛し合うふたりの仲に余計な詮索《せんさく》を入れるのは、無粋というものです」

「ははっ、よく言うものだ！　なかなか頼もしい雌狐《めぎつね》ぶりじゃないか」

皮肉を利かせて老人が笑う。

エリカは微笑んだまま、ただ肩をすくめるだけだった。こういうときは雄弁《ゆうべん》よりも沈黙《ちんもく》の方が効果的になる。

「まあ、いい。つまり君がいる限り、《赤銅黒十字》は草薙護堂の庇護を見込めるのだな。そして君ほどの人材をあてがっている事実こそが、彼が本物であるという保証でもある。――だから彼の力を借りろと言いたいのだろう、エリカ嬢は？」

「はい。もともとサルバトーレ卿は盟主とは名ばかり、己の戦い以外には興味をお持ちにならない方。有事に備えて、もうひとりの王と懇意《こんい》にしておくことは決してマイナスにはならないはずです」

「しかし、あなたの言う草薙護堂の力を、われわれは残念ながら確認してはいないのです。果たして彼が真のカンピオーネなのか否か、見極めなくてはいけません」

朗々と訴えるエリカへ、『紫の騎士』は冷淡《れいたん》に言う。

「無論、『紅き悪魔』の証言は黄金よりも価値があるとは思いますが、それだけに我が一門の命運を託すわけにもいかないのです。遺憾《いかん》ながらね」

「ええ、当然そうおっしゃると思っておりましたわ。ですから証明して差し上げましょう」

思惑《おもわく》通りの要求を、『紫の騎士』がようやく提示してくれた。

計画が予定通りに進むと確信し、エリカは鮮やかな微笑を唇にひらめかせる。見る者全てを感嘆せしめる、あでやかな紅椿《べにつばき》にも似た笑顔だった。

「証明とは？」

「草薙護堂はすでにローマへ到着しています。今宵《こよい》、あの方の戦いぶりを間近でご覧ください。千の言葉を費やすよりも、その方が雄弁《ゆうべん》というものです」

「戦うとなれば、相手は？　王の相手が務まる者など、簡単には見つかりますまい」

「もう、ここにいるではありませんか」

エリカの浮かべる快心の微笑。それは、一日前に護堂が電話越しに想像したものと寸分たがわぬ華麗さだった。

「このエリカ・ブランデッリが、王のお相手を相務《あいつと》めます。それとも『紅き悪魔』が――《赤銅黒十字》の大騎士が試し役では不足とおっしゃいますか、『紫の騎士』よ？」

「いや――とんでもない。なるほど、あなたであれば、まさに適役だ」

やられた。

そう言いたげな苦笑が浮かび、『紫の騎士』の陰気な表情が初めて崩れた。

「いかがでしょう、長老方。直接、王の戦いを拝見できるのであれば、これ以上の保証はない。もし草薙護堂氏の力が本物なら、私はエリカ嬢の提案に賛成いたします」

承諾する老人たちにうなずきかけ、『紫の騎士』は言った。

「謎めいた若きカンピオーネと『紅き悪魔』の対決――たしかに興味深いカードです。エリカ嬢、ここはあなたの目論《もくろ》みに乗らせていただきましょう」

3

無論、神ならぬ身の草薙護堂《くさなぎごどう》は、自分とまったく関係のない場所で決闘の当事者にされているなど知る由《よし》もない。

それよりも、間一髪《かんいっぱつ》のところで逃《のが》れた死への恐怖を振り払うことで忙《いそが》しかった。

ここ三カ月ほどで、護堂はさまざまなタイプの危険を味わってきた。

もう二一世紀だというのに、前時代的な剣だの槍《やり》だの斧《おの》だので殺されかけた回数は片手の指では数え切れない。弓矢の一種に、石弓という巻き上げ機で飛距離と威力《いりょく》を増幅《ぞうふく》させたタイプがあることも、実際に狙撃されて初めて知った。

この辺りはまだ、人知の及ぶ範囲である分、マシかもしれない。

まともな人間であれば脳髄《のうずい》を沸騰《ふっとう》させて死ぬ呪詛《じゅそ》とやらの直撃を受けたこともある。地獄《じごく》の底から来たという悍馬《かんば》の蹄《ひづめ》で、押し潰されそうにもなったりもした。

しかし、平和に観光を楽しむべく乗り込んだ乗用車が、アクション映画のカースタントさながらのドライビングで建物に突っこもうとしたり、道路を飛び越えて川にダイブしかけたりするとは、完全に想定外だった。

「……エリカのヤツ、もしかして知ってて仕組んだのか？」

護堂は邪推《じゃすい》した。

悪魔という似合いのあだなを持つ少女の性格を思い出したのだ。

そう、アリアンナ嬢の運転は、実に恐るべきものだった。

こうなることを承知の上で、エリカは案内役を彼女に任せたのではないだろうか？

「運転はあまり上手ではないのですけれど……」

「こういう車は初めてだから、ここまで乗ってくるときも苦労したんですが……」

駐車場に向かう間、そんなセリフがアンナの口から飛び出しても、護堂は鷹揚《おうよう》に聞き流していただけだった。

謙遜《けんそん》。慎《つつし》み。決まり文句。

日本人の感性からすれば、そう受け取るのが当然ではないか。

だから護堂は、彼女が口にした重大なヒントを看過したまま車に乗ってしまった。

「この車、変なんですよ。ブレーキとアクセルの他に、足で踏むペダルがあるんです」

「でも大丈夫です。ここまで走らせてくる間に、乗り方は覚えました。スピードを落とすとエンジンが止まっちゃいますから、すこし飛ばしますよ」

などとアンナが口走ったとき、ようやく不安を感じたのだが、遅かった。

すでに護堂は助手席に座り、シートベルトを締めてしまっていた。

——いきなりの急発進、急加速。

弾丸のような勢いと速度で、アンナが運転する乗用車は公道へ走り出た。


「まさか、こんなところで死にかけるとは思わなかった……」

街中のあちこちにある、コーヒーや軽食を出す店をバールという。

護堂は今、暴走する車を降り、とあるバールの軒先《のきさき》で籐椅子《とういす》に座りながら、とびきり苦いエスプレッソをすすっていた。運転手をしていたアンナは、車を置きにいっている。この店がローマのどの辺りにあるのかは、全く見当もつかない。

……十数分前。

慣れないクラッチに苦労しつつ、アンナ嬢は車で市道に飛び出した。

スピードを落とすとエンジンが止まると言って平均時速八〇キロで爆走をはじめ、前を往《い》く車（と、ときどき対向車線の車も）を縫《ぬ》うようにしてかわし、カースタントさながらの危険な走りをしてみせた。暴走が終結したのは、いよいよ道を曲がりきれなくなり、川に突っこむ直前で急停止したときだった。

「……アンナさん、この車を最寄りの駐車場に預けましょう。俺はその辺で時間を潰《つぶ》していますから」

護堂はすぐに、有無《うむ》を言わさぬ口調で指示を出した。

MT《マニュアル》車とAT《オートマチック》車の区別もつかないドライバーに身を任せるのは危険すぎる。しかも、死線ギリギリのドライビングをしているくせに、その自覚もゼロときている。

「え？　でも護堂さんにローマを案内しないと――」

「いえ、思っていたより疲れていたみたいです！　すこし休ませて下さい！」

というのが一部始終であった。

暴走超特急だった車が走り去るのを見届けてから、護堂は手近なバールに入り、こてこてのローマ弁を話すおばちゃんにエスプレッソを注文したのである。

「……あの人、普通に見えるのは上辺《うわべ》だけで、もしかしたらものすごい天然なのか？　もう少しで死ぬところだったぞ」

もともと護堂は、占いだの運勢だのを気にしたことがない。

だが、最近は宗旨《しゅうし》替《が》えしつつある。

自分はもしかすると、相当な凶運の持ち主なのかもしれない……と。

我が身を不幸だと思ったことは一度もないが、ここ半年で死にかけた回数を数え上げてみると、運命論者の言い分を理解できる気持ちになってきたのだ。

またしても運命の悪意を感じながら、エスプレッソを飲み干した直後だった。

護堂がカップをテーブルに戻した瞬間、往来を歩むひとりの少女と目が合った。

合ってしまった。

——まずい。

その少女は只者《ただもの》ではない。そう直感できたことが、まずかった。

時差ボケでけだるいままだった体が、一瞬で持ち直す。背筋はすっきりと伸び、四肢《しし》の隅々、指先まで力が行き渡る。

宿敵《しゅくてき》と遭遇《そうぐう》したため、体が勝手に臨戦態勢へと近づいているのだ。

「…………………」

少女の方も、足を止めて護堂の顔をじっと注視していた。あちらも護堂が仇敵《きゅうてき》だと直感したのだろう。

すばらしく美しい少女だった。
一三、四歳ぐらいで、幼く、天使のように可憐な顔立ちをしている。
だが、それは驚くには値しない。『彼ら』はとびきり美しいか、とびきり異形《いぎょう》か、どちらかである場合が多いのだ。

「……この地には、騎士を自称する神殺しがいると聞いている。この世の全てを断ち切る魔性の剣を持つ男だという。…………あなたがそうなのか？」

いつのまにか――。

少女の姿をした別のものが近づいてきていた。

肩の辺りまでのびた銀の髪は、月の光を溶かし込んだかのように淡《あわ》く輝き、瞳《ひとみ》は夜闇そのもののごとく黒い。

「ちがう。あなたの言っている男は、すこし前に怪我《けが》をした。しばらく南の島で療養しながら遊び暮らすとか、ふざけたことを言っていたよ」

その怪我を負わせたのは護堂自身なのだが、そこまで自己主張する気にはなれなかった。

「……そうか。では、あなたは異邦人なのだな。妾《わらわ》と同じように」

夜を凝縮したような闇色の瞳が、じっと護堂を見据《みす》える。

「どうする？　今の妾には《蛇《へび》》を取り戻すという目的がある。故《ゆえ》にあなたと戦う必然性は感じていない。だが、あなたにその意志があるのなら、妾は全力で応戦するだろう。武力と勝利は常に妾の下僕なれば」

「蛇ってのが何のことかは知らないけど、俺にその気はない。できれば、あなたがずっとそのままだといいね。あんたたちとケンカするのは、あまり楽しくない」

「諒解《りょうかい》した。妾は疾《と》く去ることにしよう。だが神殺しよ、あなたは嘘をついている」

「ウソ？」

「然《しか》り。我らとの決戦を楽しまぬ者が神殺しになるわけがない。あなたは嘘つきだ」

その言葉を残して、銀の髪の少女は護堂の前から立ち去っていった。

ふう、と護堂は息をついた。

どうやら荒事にならずに済んだようだ。それにしても、人を嘘つき呼ばわりとは神様のくせに失礼なヤツだ。

そんなことを思っていると、黒髪の女性が小走りに近づいてきた。

「すいません護堂さん、お待たせしました！」

アンナだった。彼女がテーブルの前まで来るなり、護堂は即座に頼み込んだ。

「携帯を貸してもらえますか？　エリカと連絡を取ります」

「かまいませんけど、あちらの会合が終わってないかもしれませんよ？」

そう断ってから、アンナは携帯電話を渡してくれた。

『何、アリアンナ？』

数回のコールのあとで、相手は出た。一日ぶりに聞くエリカの声だった。

「俺だよ。訊きたいことがある」

『来てくれたのね、護堂。アリアンナとは上手くやれている？』

「それについても、いろいろ文句を言いたいところだけど、あとにする。今回、俺を呼んだのは、もしかして神様の相手をさせるつもりなのか？」

『そうと決まってはいないけど、可能性はあるわ。……もしかして、もう会ったの？』

「ああ。ついさっき、女神様にな」

『そう……なら急がないといけないわね。これからすぐに落ち合いましょう。あなたもわたしも、今夜の決闘の準備をしないといけないし――』

「……いま何て言った？」

聞き捨てならない発言が出てきたため、護堂は問いただした。

『決闘。あなたとわたしで。今夜。……言うまでもないとは思うけど、キャンセルはできないから、そのつもりでね』

「何がどうなって、そんなイベントになったんだよ……」

運命は転がるダイスのように、次々と新たな局面を（リクエストもしないのに）提示してくれる。護堂は今さらながら、自分の星回りの悪さを痛感したのであった。


夜の九時を過ぎた頃――。

護堂とアンナが向かったのは、夕食時のリストランテだった。

日本でも知る人ぞ知る名店なのかもしれないが、護堂にはよくわからない。

アンナに案内されて店の前までやってきたときも、気取った感じのレストランだな程度にしか感想を抱かなかった。

重要なのは、ここで待ち合わせている少女の方だ。

上着もネクタイもなしで通してもらえるか心配だったが、杞憂《きゆう》だった。もしかしたら、ここの店主もエリカたちの関係者なのかもしれない。

予約していた席に案内されると、エリカは先に到着していた。

「久しぶりね、護堂。ようやくわたしに会えた喜びを言葉で伝えて欲しいとは思うけど、わがままは言わないわ。あなたに詩人の才能がないことは承知しているし」

「おまえがその、全てを自分に都合よく解釈する性格を直してくれるのなら考えてやってもいいぞ」

窓際の小さな卓《たく》を、エリカと護堂、ややかしこまった体《てい》のアンナが囲む。

ラフな格好のまま入店した護堂とは不釣り合いなことに、エリカは鮮やかな深紅のフォーマルドレスを着込んでいた。

長い赤みがかった金髪には、造花らしき黒薔薇の飾りまでつけている。

華麗な覇気《はき》に満ちた表情のせいか、金髪が騎士の兜《かぶと》か王冠のようにも思えてしまう。

エリカ・ブランデッリは朴念仁《ぼくねんじん》の護堂でさえ全面的に認めざるをえないほど、魅惑的《みわくてき》な美少女なのだ。これで性格さえまともなら、とは常々思うところである。

「ごくろうさま、アリアンナ。何も粗相はなかったでしょうね？」

「はい、エリカさま。……ただ護堂さんはお疲れだということなので、ローマの街をご案内できなかったのが残念です」

アンナの返答を、護堂は悟《さと》りに近い心境で聞き流した。

いや、わずかに残っていた体力は、死と隣り合わせのドライブで使い果たしてしまったんだとか言っても、詮無《せんな》きことではないか。

「それはよかったわ。──ねえ、護堂。アリアンナはいいガイド役だった？　わたしが忙しくて迎えにいけなかったものだから、すこし心配していたの」

「ん、まあ……それなりにな」

エリカの瞳に宿るいたずらっ子めいた輝きを、護堂は見逃さなかった。

わざわざアンナを寄越《よこ》したのは、やはり自分を困らせるためか。

「そう。粗相がなかったのはいいことね。何といっても護堂はいずれわたしの夫となる人で、何より真のカンピオーネでもあるわけだし──」

「……はい？　エリカさま、いま何ておっしゃいました？」

「だから、わたしの未来の旦那《だんな》さまで、正真正銘《しょうしんしょうめい》の魔王さま」

清楚《せいそ》と聡明《そうめい》を絵に描いたようなアンナの笑顔が凍《こお》りつく。

黙っていたことを申し訳なく思いながらも、護堂は一部訂正を要求した。

「こら待て。今まで結婚の約束なんか一度だってしたことないぞ！」

「……わたしの純潔を奪ったくせに。今までのことは只《ただ》の遊びだったと言うつもりなのね。ひどい、身も心も捧げた恋人が、こんなドン・ファンだったなんて──」

何やら悲劇的な言い草を、エリカはわざとらしく訴える。

ほくそ笑む口元を見るまでもなく、護堂をいじめて愉《たの》しむつもりなのは明白だった。

「あのな……あれはそういうのじゃないって、おまえも承知してるだろ？」

「そんな嘘までつくんだ。ああ、敬虔《けいけん》な神の僕《しもべ》たるわたしは、このままじゃ修道院にでも入って身を清めるしかないわ。こんな若い身空《みそら》で世捨て人になるのかァ……」

「誰が敬虔だ。思いっきり異端のカルトだか修道会だかの魔女が、善良無垢《むく》な神の信徒みたいなことを言うな！」

拗《す》ねたふりをするエリカへ文句をつけながら、護堂はアンナの方をうかがう。

……大魔王と性犯罪者を同時に見つめるような、名状しがたい恐怖と義憤《ぎふん》に満ちたまなざしをこちらに向けていた。

「そんな、普通の学生さんだって言ったのに……『見ろ、人がゴミのようだ！』とか叫ぶ悪魔みたいな人だったなんて……しかも、エリカさまを甘い言葉でたぶらかして、さんざん弄《もてあそ》んで……ひどすぎます！」

「脳内で勝手にドラマを作らないでください。こいつが甘い言葉でたぶらかされるタマに見えますか？　エリカもふざけるのをやめろ。人を呼びつけておいて、失礼だろう」

「全部が全部、ふざけてるわけじゃないけど、ま、いいわ。ふたりの関係については、後でじっくり話しましょう。決闘の話までしたわよね？」

ようやく話が進行し始めた。

前菜の皿が運ばれてくる。決闘とやらに備えるためか、エリカの飲み物は珍しくワインではなく、ミネラルウォーターだった。

「で、何で俺がおまえと決闘なんぞしなきゃならないんだよ？」

「あなたの力を証明するためよ。いま、ローマには古き魔術を継承する騎士団の幹部が集まって、ゴルゴネイオンの扱いを討議しているわ。わたしはあれを草薙護堂に預けよと提案し、他の三人は護堂の力を確認できれば賛成するということになったのよ」

「……ゴルゴネイオンって、何だ？」

「二カ月前、カラブリアの海岸に打ち上げられた神代の遺物《いぶつ》よ。ゴルゴネイオンは貶《おとし》められた女神の徴《しるし》。失われた地母の叡智《えいち》、闇へ至る道標《どうひょう》なの。時間もないことだし、かんたんに説明すると——」

「やっぱり、いい。説明するな。神様がらみの話になるなら聞きたくない」

滔々《とうとう》と始まろうとするエリカの語りを、護堂はさえぎった。

ある事情のため、神々にまつわるウンチク話は耳に入れないようにしているのだ。そんな護堂を見て、エリカは仕方のない人と言わんばかりに微笑んだ。

「でも、護堂はもう『まつろわぬ神』らしき女の子に会っているんでしょう？　きっと、いずれ戦う運命がふたりを引き合わせたにちがいないわ。あとで自分から教えてくれって、わたしに頼むんじゃないかしら？　いくらか賭《か》けておいてもいいぐらいだけど」

「不吉なことを言うな。それより、力を証明する方法がどうして決闘なんだよ？　他にいい方法があるはずだろ？」

「ないわよ。わたしたち騎士にとって、決闘は最重要の儀式なの。鍛《きた》え抜いた武技で競り合い、獅子《しし》のごとき勇気を示し、勝利を以て名誉と成《な》す。——その儀式を愛し合うふたりの手で行うのよ。とても素敵な夜になると思わない？」

「誰が思うか。むしろ悪夢のような夜になると思うね」

「素直じゃないわね。ああ、ふたりきりじゃないから照れてるの？」

主たちの会話を邪魔《じゃま》しないよう沈黙《ちんもく》しているアンナを見て、エリカはうなずいた。

「安心して。決闘が終われば、わたしたちの邪魔は誰にもさせないわ。楽しみは後に取っておきましょう」

自分の凶運は、全てエリカが運んでくるような気さえする護堂であった。

# 第2章　決闘と紅き悪魔

## 1

夜も更《ふ》け、空に星は高く——。

エリカは危険だからと言って、アンナを連れて行こうとはしなかった。

護堂《ごどう》だけを伴《ともな》って出向いた先は、名高い円形闘技場・コロッセオにほど近い丘の上だった。

遥《はる》か紀元前、ローマの都が七つの丘に囲まれていた史実は有名だ。

パラティーノの丘と呼ばれるここは、七つある丘のひとつであり、共和政の時代には高級住宅街、帝政期には宮殿の一部であった。

今では観光名所となったコロッセオの隣で、ひっそりとさびれた廃墟《はいきょ》になっている。

一応は観光地なのだが、お隣に比べれば静かなものだとエリカは言う。

すでに零《れい》時を過ぎているせいもあってか、たしかにローマ貴族の亡霊が出てきてもおかしくはない雰囲気だった。

「それにしても、一五〇〇年以上も前の建物がよく形を残しているもんだ。こういうのを見るたび感心するよ」

　レンガで築かれた建物の名残《なごり》。

　同じくレンガを敷き詰めて作った通路。

　廃墟の中を歩きながら、護堂《ごどう》はキョロキョロと周囲を見回していた。

　できれば昼間来たかったが、これはこれで肝試《きもだめ》しのようで面白い。

　街灯がひとつもない闇《やみ》の中を懐中電灯もなしで進めるのは、エリカも護堂もフクロウ並みに夜目が利くおかげだった。……春先に死にかけて以来、いろいろと手に入れてしまった人間離れした体質のひとつである。

「そう？　古いだけの建物なんて、どこにでもあるじゃない。中世の寺院や城は、日本にもあるって聞いているわよ」

「古さの単位がちがうし、観光地以外じゃ簡単にはお目にかかれないんだよ」

　エリカの意見は、石の文化圏で育った人間のものだ。

　そもそもイタリアの諸都市は、中世の城塞《じょうさい》都市から名前も建造物もそのまま受け継いだものがほとんどである。

　街や都市全体が、半《なか》ば過去の遺物《いぶつ》と言えるのだ。

　特にこのローマなどは、街道も橋も下水道も帝国時代に造られた施設をそのまま使い回している。かんたんな補修を加える程度で、未《いま》だにちゃんと役に立つからだ。

「ところで護堂、久しぶりにふたりっきりなんだから、そんな色気のない話はやめない？　せっかくの短い逢瀬《おうせ》なのよ？」

いきなり、エリカが近づいてきた。

ぴったりと護堂に寄り添い、耳元でささやきかけてくる。

魅惑的《みわくてき》な少女から、積極的にスキンシップを迫られる。健全な男子高校生であれば、誰しも胸をときめかせる展開である。

もちろん、護堂も例外ではない。ないのだが――。

「そういう悪ふざけはやめろって何度も言ってるじゃないか。もっと節度を守って、健全な友達同士のつきあいをしよう！」

「ふざけてないわよ。久々に会った恋人同士で、愛を確かめ合おうってだけじゃない」

こちらの反駁《はんばく》など無視して、エリカが顔を近づけてくる。

頬《ほお》に頬をすり寄せ、体重を預けながらの、蜜《みつ》のように甘いささやき。

護堂はできるだけ距離を保とうと、必死に後ずさった。

「お、俺はおまえの恋人じゃないっ。いいかげんにしてくれよ、頼むから！」

「あなたの方こそ、いいかげんにわたしの愛を受けいれなさい。わたしのどこが不満なの？　容姿でしょ、若さでしょ、あとスタイル、この辺は全く問題ないと思うんだけど。……もしかして護堂、すごくマニアックな趣味があるとか？」

「バカ言うなッ。俺は完全なノーマルだよ！　いや、趣味とかそういう問題じゃなくて」

後退する護堂に、エリカはぴたりと密着したまま ついてくる。

……本音を言えば、わがままなところも強引なところも、慣れると可愛《かわい》く思えてくるのだから恐ろしい。これだけ振り回されても、不思議と憎《にく》めない。

しかし、だからといってエリカの求愛に応えるわけにはいかなかった。

「わたしは護堂が好き。護堂もわたしのこと、かなり好きでしょ？　ほら、もう大丈夫。結婚しても、きっと上手くやれるわよ。わたしたち、地上最強の夫婦になれるんじゃない？」

「それだよ、それ！　勝手に結婚まで決めるな！　俺はまだ家庭を持つ気はない！」

彼女の愛を受け容れたが最後、そのまま教会へ拉致《らち》されそうな気がする。

人生八〇年と仮定しても、護堂はまだ四分の一も生きていない。この程度の人生経験で生《しょう》涯《がい》の伴侶《はんりょ》を決めてしまうのは、やはりためらわれる。

それに、もっと切実な理由もある。

事あるごとに恋人面してくるエリカだが、彼女なりに思惑《おもわく》があってのことなのだ。

「——なあエリカ、俺を変な風に利用しようとするなよ。おまえには借りだってあるし、困ったヤツだけど友達だと思ってる。筋の通った頼み事なら幾《いく》らでも聞くから、そういうのはやめてくれ」

真摯《しんし》な口調で護堂は訴えた。

まったく自慢にならないが、自分が女子に好かれるタイプだと思ったことは一度もない。

草薙護堂《くさなぎごどう》は面白い話のひとつもできず、気も利かない朴念仁《ぼくねんじん》なのだ。

妹からはよく鈍《にぶ》いと罵倒《ばとう》されるし、口うるさいところもある。

こんな男を好いてくれる物好きな女性は、そういまい。ましてエリカなら、望めばどんな相手でも選べるはずだ。

「おまえの騎士団とやらが、俺をたらしこめって命令してるんだろ？　ちゃんと知ってるから無理するな。おまえには、そんな風にウソをついて欲しくない——って、聞いてるか？」

「聞いてる。……護堂って本当に鈍《にぶ》いわよね。こんなに綺麗《きれい》な花が、自分から手折《たお》って下さいって言ってるのに、全然理解できないなんて」

護堂にくっつきながら、エリカはハァとため息をついた。

彼女にしては珍しく、心からの憂《うれ》いをこめたような、重い吐息《といき》だった。

「わたしは上から命令されたぐらいで愛人を選ぶほど、真面目でも忠義者でもないわよ。その程度のこともわからないんだから、ほんと困った人よね」

「いや、まあ、察しのいい方じゃないって自覚はあるけど。——そういうのをやめろと言ってるんだ！」

ようやくエリカが腕を放してくれたので安心した途端《とたん》、いきなりキスされてしまった。

それも頬などではなく、軽くとはいえ唇《くちびる》に。

「いつもわたしに冷たくする罰《ばつ》よ。……ま、いいわ。じっくり時間をかけて、わたしの愛を理解させてあげる。覚悟《かくご》しておきなさい」

軽やかに笑うエリカが、やけに眩《まぶ》しく見えた。

このままでは変な気分になりそうなので、護堂は話題を変えることにした。

「そうだ、アンナさんのことでひとつ訊《き》いてもいいか？」

「ああ、アリアンナね。素直で気も利くし、とてもいい子でしょう？」

この言い草に、護堂は顔をしかめた。

「歳上の人をいい子とか言うな、失礼だぞ。それよりも、アンナさんに車を運転させたのはおまえの差し金なのかを確認しておきたい」

「……まあ、護堂ったらアリアンナの車に乗ってしまったの。あいかわらず獅子《しし》のように勇敢《ゆうかん》なのね、頼もしいわ」

質問する護堂の視線を、エリカはさりげない動きで避ける。

どうやら、まともに答えるつもりはなさそうだ。

「そういう胡散《うさん》くさい文句は、せめて俺の目を見て言え。やっぱりエリカが仕組んだんだな？　おかげで死ぬかと思ったぞ」

「仕組んだなんて人聞きの悪い。わたしは車で案内してあげた方が喜ぶんじゃないかって提案しただけだし。……やっぱり、アリアンナは素直でいい子だわ」

たわいない話をしながらもふたりは歩き続ける。

急に前が開け、広い場所へ出た。

「着いたわ。ここがわたしたちの闘技場。かつてアウグストゥス帝が宮殿をかまえた場所――その跡地よ」

宮殿だった頃は壮麗《そうれい》な城壁だったと思われる、中途半端に巨大で細長い壁。

一部はどうにか立ってはいるものの、ほとんどが横倒しになっている石の円柱群。

それらに囲まれて、緑の空き地がある。そこに、三人の先客が待っていた。

まず老人がふたり。

エリカが言っていた《老貴婦人》と《雌狼《めろう》》の総帥《そうすい》とやらだろう。

そして青年がひとり。《百合の都《ゆり》》を束ねる『紫の騎士』にまちがいあるまい。

ちなみに彼らの所属する騎士団とは、要するに秘密結社である。

地中海沿岸の諸国には、中世のテンプル騎士団をルーツとする結社が多数存在しているらしいのだ。

「はじめまして、草薙護堂。お会いできて光栄ですよ」

型通りの挨拶《あいさつ》をする『紫の騎士』へ、護堂は頭を下げて応えた。

「草薙護堂です。いろいろとバカげた体質になってはいますが、みなさんに恐れ入ってもらえるほどの人間じゃありません。どうか普通に相手をしてください」

「……ご謙遜《けんそん》をおっしゃる。今のお言葉だけでも、あなたが只者《ただもの》ではないという証明になりますな。そのイタリア語、普通に習い覚えたものではありますまい？」

「左様。それは『千の言語』――長年魔術を学び、言霊《ことだま》の奥義《おうぎ》を悟った達人のみが会得《えとく》する秘術です。あなたほどのお歳で使いこなす者は、なかなかおりませんな」

老人ふたりが口々に言う。

護堂はカンピオーネとやらになって以来、外国人との交流で困った経験は少ない。三日も一緒に過ごしていると、相手の言葉を自然と聞き分け、会話できるようになるのだ。

便利だが無茶苦茶な能力だとは思っていたが、そんなタネがあったとは……。

返答に詰まっていると、隣でエリカが高らかに言い放った。

「さあ、役者もそろったことだし、そろそろ始めましょう。『紫の騎士』殿、立会人をお願いできるかしら？」

「いいでしょう、『紅き悪魔《ディアヴォロ・ロッソ》』殿。長老方はお下がりください。カンピオーネと《赤銅黒十字》の大騎士が相まみえるのです。距離を置いた方がいい」

『紫の騎士』の勧めに老人たちはうなずく。

その直後、ふたりの姿はかき消えてしまった。ほんの一瞬で、跡形もなく。

「本当に消えたよ。たいしたもんだ」

「今さら感心するほどの術でもないでしょう？　姿をくらましただけで、離れたところから見物してるわよ。それよりも、ここからはわたしたちふたりだけの舞台よ」

素朴に驚く護堂から、エリカは五メートルほど離れた。

その場所から、『紫の騎士』へ呼びかける。

「始めましょう。合図を」

「では、おふたりの御武運を祈ります。――始めよ！」

まったく闘志のわかない護堂だったが、仕方なく視線をエリカに向けた。

この場へ赴《おもむ》く前に、彼女は衣服を改めている。

華美なドレスではなく、簡素な長袖《ながそで》のシャツと、ほっそりとした黒いパンツを身につけ、動きやすい格好だ。その上からショールのような紅い布を羽織っている。

この紅い布には黒い縞模様《しまもよう》が入っており、エリカはバンディエラと呼ぶ。

そういえば以前、紅と黒《ロッソネロ》のバンディエラは大騎士にのみ許される装束なのだと自慢していた。

「鋼《はがね》の獅子と、その祖たる獅子《しし》心王《しんおう》よ――騎士エリカ・ブランデッリの誓いを聞け」

さらにエリカは、愛用の武器を呼び出すための不吉な文句を唱えだした。

朗々《ろうろう》と、詩でも謡《うた》うように高らかに。

彼女たちが呪文や言霊と呼ぶそれは、呪力を意のままに操るための技だという。

「我は猛《たけ》き角笛の継承者、黒き武人の裔《すえ》たれば、我が心折れぬ限り、我が剣も決して折れず。獅子心王よ、闘争の精髄《せいずい》を今こそ我が手に顕《あらわ》し給《たま》え――！」

剣が現れる。

一瞬前まで空だったエリカの右手に、忽然《こつぜん》と長剣が出現する。

「さあ決闘の時間よ、クオレ・ディ・レオーネ！」

エリカの愛剣、クオレ・ディ・レオーネは刀身の細い長剣である。

剛剣と呼ぶには程遠い細さで、振り回せば柳のようにしなりさえする。清冽《せいれつ》に輝く銀色の刀身と相まって、美術品めいた優美な剣だった。

だが護堂は、この剣が鋼鉄すら両断する魔剣であることを知っている。

――いきなり、エリカが間合いを詰めてきた。

「こら、ちょっと待て！」

クオレ・ディ・レオーネによる稲妻《いなずま》のような突きが、護堂の胸元に放たれた。

大きく横に飛びのいて、どうにか避ける。

しかし、エリカは突きにいった剣を戻さず、そのまま横薙《よこな》ぎに、逃げる護堂を追いかけるように繰り出す。

これもギリギリでかわした護堂の背筋《せすじ》を、死の恐怖が駆けのぼる。

突きから横薙ぎの斬撃まで、完全な一挙動。

護堂の動きを完全に読み切った上での連続攻撃だった。

「俺を殺すつもりか!?　真剣でいきなり斬《き》りかかるなッ」

「そりゃ決闘だもの、真剣を使うわよ」

「使うなって！　そんなので斬られたら、確実に死ぬ。おまえ、この前それでコンクリートを叩き斬ってただろ？　俺の体なんか豆腐《とうふ》みたいに切り刻まれるぞ！」

「トーフって大豆の加工食品でしょ？　大丈夫、護堂の方がずっと強いわ。ほら、サルバトーレ卿の魔剣で斬られたときも何だかんだで生きのびたじゃない？　あれを見て、すごい生命力だなーって感心したの。わたしが斬ったらどうなるのかも気になったし——」

「……おまえ、決闘とか言い出したの、それを試したかっただけじゃないだろうな？」

「まさか。ただ、折角《せっかく》の機会を見逃すつもりがないのは事実よ」

ヒュッ。

エリカが軽やかに腕を振ると、クオレ・ディ・レオーネが鞭《むち》のようにしなって護堂の首筋——おそらく頸動脈《けいどうみゃく》へと走る。

攻撃の気配を全く感じ取らせない自然な動き。しかも、速すぎるほど速い。

護堂も完全には見切れなかった。

半《なか》ばカンにまかせて首を振り、斬撃《ざんげき》をなんとかやりすごす。

「さすがね……わたしの剣を三太刀《みたち》もかわす人間は、滅多にいないのよ。——ああ、護堂は半分人間じゃないようなものだから、不思議でもないか」

「さんざん恋人だ愛人だとか言ってたくせに、平気で斬りかかってくるおまえが、俺は不思議でたまらない！」

「たまたま愛しい人と決闘の相手がいっしょだっただけで、おかしな話じゃないわ。それに、殺すつもりはないし。——不慮《ふりょ》の事故は起きるかもしれないけど」

優雅に剣を構えながら、エリカは毒花のように甘いまなざしを向けてくる。

思わず見とれてしまうほどの妖艶《ようえん》さだった。

「おふたりとも、じゃれ合いは程々にしていただきましょう。再会した恋人たちが時を惜《お》しんで愛し合う気持ちはわかりますが、今は神聖な決闘の場ですよ？」

「これがじゃれ合いに見えるなら、あんたの目は節穴か、それで悪けりゃガラス玉だ！」

たしなめる『紫の騎士』に、護堂は呆《あき》れながら叫んだ。

エリカも含めて、命のやりとりを対戦ゲーム程度にしか考えていない連中なのだ。

「そうね、恋を語らうのは後の楽しみに取っておきましょう。今はあなたの力を示すべき時よ、護堂！」

家族以外で護堂と呼び捨てにする人間は、あまりいない。

そして、この名をこれほど蜜のように甘く、そのくせ毅然《きぜん》たる矜持《きょうじ》をこめて呼び捨てる人間は、世界中でもエリカ・ブランデッリただひとりである。

……問題は、そんな風に名前を呼びながら、ためらいなく剣を突き込んでくるところだ。

エリカは三つの斬撃を一呼吸の内に放ってきた。

まず袈裟《けさ》懸《が》けに斬り下ろし、その剣を逆袈裟に斬り上げ、最後は護堂の頭頂《とうちょう》めがけて大上《だいじょう》段《だん》から再び斬りつける。

一太刀でも浴びれば、確実に即死できる。

ギリギリのところで護堂は後ろに飛びのき、体をひねり、もう一度バックステップして、どうにか避け切った。

「逃げるばかりじゃ勝負にならないわよ。第一、わたしがつまらないわ」

「あのな、エリカも知ってるだろう？　俺の力ってやつは変なのばかりだから、上手く使えないんだよ。手加減だってできないのに、軽々しく使えるか！」

「あいかわらず悠長《ゆうちょう》なこと言うわね……。なら、剣より危険な物で追いつめてあげる。負けたくなかったら、まじめに戦いなさい！」

ひらりと身をひるがえし、エリカは廃墟に残る帝政期の城壁に足をかけた。

「翔《か》けよ、ヘルメスの長靴！」

短い呪文と共に、タン、タン、タンと軽快に壁を駆け上がる。

ほとんど垂直の壁を坂でも登るようにして、いちばん上まで登り切ってしまう。魔術で身を軽くしているからこそできる、人間離れした身のこなしだった。

「クオレ・ディ・レオーネ――鋼の獅子に使命を授ける。引き裂け、穿《うが》て、噛《か》み砕け！　打倒せよ、殲滅《せんめつ》せよ、勝利せよ！　我は汝《なんじ》に此《こ》の戦場を委《ゆだ》ねる」

エリカは愛剣の刀身を愛おしげに撫《な》で、軽く口づけた。

そして投じる。

護堂がとどまる地上の草地めがけて――。

「……今度は何をする気だ？」

五メートルほど手前に突き刺さる剣を見て、護堂はいぶかしんだ。自分を刺し貫くつもりなら、この距離でエリカが外すはずはない。

――果たして、変化は起きた。

地面に突き立った剣は、変形と膨張《ぼうちょう》をはじめた。

銀色の鋼がふくれあがり、獅子の姿をかたどった彫像《ちょうぞう》へと変化していく。

変形するだけではない。巨大化までしている。

……とんでもないことに、銀色の獅子はただの彫像ではなかった。低いうなり声をあげながら首を回し、地面を見下ろし、護堂へと視線の焦点を定める。

本物の、生きた獅子さながらの動きであった。

「こいつに俺を襲《おそ》わせる気か！」

愕然《がくぜん》としつつ、護堂は銀の獅子の偉容《いよう》を見上げた。

獅子の頭は、ビルの二階あたりに相当する高さにあった。

大型のバスかトラックなら何とか対抗できそうな、巨大な体軀《たいく》である。一七九センチ、六四キロの護堂とでは、ウエイト差がありすぎる。

――その巨大な獅子が、前足を振り上げ、叩きつけてきた。

護堂の頭頂めがけて、すさまじい速さで。

工事現場の鉄柱が落ちてくれば、こんな具合かもしれない。

とっさに飛びのく護堂。

一秒前まで立っていた地面が、鋭すぎる爪と圧倒的な重量で抉《えぐ》られ、潰《つぶ》される。直撃を受ければ、頭からつま先までグシャグシャになることはまちがいなかった。

2

ちょこまかと逃げる護堂を、獅子は悠然《ゆうぜん》たる足取りで追う。

稲妻のような前足の一撃や、剣のような牙や爪で打ちのめし、引っかけようとする。時折、戯《たわむ》れるように体当たりをしかけ、小動物じみた標的を押し潰そうとする。

「王はこの決闘に、あまり乗り気ではないようですな」

と、エリカの隣で評したのは『紫の騎士』だった。

彼もいつのまにか魔術を使い、城壁の上まで登ってきたのだ。

「これでは、彼の力の証明にならない。ただ逃げ回っているばかりですからね。ああ、そんな論評は想定済みだとおっしゃりたいようなお顔だ」

コメントする長身の青年へ、エリカは余裕の笑顔を向けた。

「おそらく、こうなるものと思っておりました。あまり戦いを好まれない方なのです。……もっとも、最初の内だけですけどね」

「と、おっしゃいますと？」

「あの方はカンピオーネ。神を相手にしてまで戦い、勝利し、至上の権能《けんのう》を簒奪《さんだつ》された御方です。口先で何と言おうとも、本心から戦いを嫌《きら》うはずなどありません。全てのカンピオーネがそうであるように、草薙護堂《くさなぎごどう》もまた闘争の申し子。勝者の中の勝者なのです」

「ほう……それにしては、かなりの逃げ腰ですね」

懐疑《かいぎ》的な目で『紫の騎士』は下方を見おろしている。

右に左にと逃げまどう少年を愛おしげに眺《なが》めながら、エリカは言った。

「もうすぐ終わりますわ。そろそろ逃げ切れなくなる頃合いですもの。——草薙護堂に関する賢人議会のレポートをお読みになったことはありますか？」

「一応。もっとも、あれがどこまで正しいのか、かなり怪しく思っておりますが」

「六割程度なら、信用しても問題ありませんわね。よく調べたものだと思います」

「では、あれも事実なのですか？　草薙護堂の所有する権能は、対峙《たいじ》する敵、置かれた状況によって変化を起こす——あらゆる障碍《しょうがい》を打ち破る力だというのは？」

「ええ！　ほら、ごらんなさい、『紫の騎士』殿！」

ふたりの眼下《がんか》で、いきなり形勢が変わった。

獅子が振り下ろす前足の一撃を、護堂は初めて避けなかった。

鋭い銀の爪で切り裂かれないよう、そこには触れないようにして前足へ飛びつくや否《いな》や、両腕で抱え込んだ。

そのまま持ち上げる。

前足を抱えて、獅子の巨体を持ち上げていく。

重量挙げのバーベルでも抱え上げるようにして、一七九センチの護堂が大型トラックにも匹敵するサイズの巨大な獅子を、高々と差し上げていく。

「あれは――！　なんて力なんだ！」

「英雄《えいゆう》ヘラクレスは天を支えるほどの剛力《ごうりき》だったといいます。草薙護堂が倒したウルスラグナは、そのヘラクレスと強い絆《きずな》を持つ神格です。あちらに後れを取ったりはしませんわ」

驚く『紫の騎士』へ、エリカは誇《ほこ》らしげに言った。

今や護堂は、銀の獅子を天高く差し上げ、完全に持ち上げていた。獅子の四つの足は地上を離れ、むなしく空をかき回すだけ。

人間離れした、とてつもない怪力である。

「……われわれは草薙護堂が所有する権能を『東方の軍神』と命名する。軍神ウルスラグナは一〇の姿に変身し、あらゆる戦場で勝利を得た。草薙護堂もまた、必要に応じて自らの能力を変化させる怪物なのだ――。賢人議会のレポートは、たしかこうであったな」

不意に老人の声が割って入った。

いつのまにか《雌狼《めろう》》の総帥が、エリカと『紫の騎士』の傍《かたわ》らにやってきていた。

「あら長老――おひとりですのね？」

「まあな。トリノの老いぼれは、この期に及んでもネズミのように隠れておるよ。わしはもういい。新たなカンピオーネの権能を間近で見る機会だ。この目で直接、王の御力を拝見させていただく」

《雌狼》の総帥はローマ訛《なま》りの早口で吐き捨て、嘲笑《ちょうしょう》で唇を歪めた。

ローマの騎士と魔術師を統べる結社の総帥は、トリノを本拠地とする《老貴婦人》が嫌《きら》いなのだ。

「サルバトーレ卿《きょう》が現れたときもお若いと思ったが、今度の王はさらに若いな！　あの剛力以外にも、彼の能力は変化するのだろう？」

「草薙護堂が怪力を使えるのは、自分を凌駕《りょうが》する力の持ち主に対してのみ——賢人議会はそう推測《すいそく》していましたが……」

《雌狼》の総帥と『紫の騎士』が、同時に訊《たず》ねる。

回答を求めるふたりの視線に、エリカは余裕に満ちた微笑で応えた。

「尋常《じんじょう》ならざる膂力《りょりょく》を持つ敵と戦うとき、草薙護堂は『雄牛《おうし》』のウルスラグナに化身して、無双の剛力を得ます。ウルスラグナ神の化身は全部で一〇。その全てを行使できるかはまだ不明ですが、いくつかの化身はもう掌握《しょうあく》しております」

風、雄牛、白馬、駱駝《らくだ》、猪《いのしし》、少年、鳳《おおとり》、雄羊《おひつじ》、山羊《やぎ》、戦士。

ウルスラグナの化身の中でも、『雄牛』と『駱駝』は大地と深く関わり、強力《ごうりき》・強壮・強精のシンボルとなる姿であった。

その能力も自然と、怪力、荒ぶる猛威《もうい》にまつわるものとなる。

今や彼らの眼下では、護堂が銀の獅子をいいように打ちのめしていた。

持ち上げた獅子の巨体を放り投げて、地面に叩きつける。

ひっくり返った獅子の体を駆け上がって、あごを蹴《け》っとばす。

前足の肩に近いあたりを抱えて、その付け根を足で押さえながら強く引っぱり、あっさりと引きちぎる。

終《しま》いには獅子のあご、胸、腹を、くの字に歪むまで蹴りつけ、とどめを刺した。

「――おまえのオモチャはぶっ壊したぞ！　どうせ自分でカタをつける気なんだろ？　早く降りてこい！　とっとと済ませてやる！」

「おお、本気でやる気になられたようですね」

憮然《ぶぜん》としたまなざしでエリカを見上げている護堂。

その不機嫌《ふきげん》そうな表情を見て、『紫の騎士』は満足げにうなずいた。

「初めはいつも、平和主義者みたいなことを言うんです。いざ戦わせてみれば、容赦《ようしゃ》なく勝ちにかかるくせに……。では、我が君がお呼びですので、しばし失礼いたします」

エリカはひらりと身をひるがえし、地上へと飛び降りた。


軽やかに舞い降りてくる金髪の少女を眺めながら、護堂は改めて後悔《こうかい》していた。

こんな異国の地で、また決闘などする羽目になるとは……。

エリカに頼まれてイタリアに来た時点で、予測はしていたことだ。しかし、実際にそうなってみると、やはり憂鬱《ゆううつ》な気分になってくる。

「……なあ、文明人と野蛮人《やばんじん》の差は、どれだけ文化的な体裁《ていさい》を取りつくろえるかにあると思うんだ。おまえも頼むから、刃物抜いたりケンカ売ったりする回数を減らすよう努力してくれないか？　つき合う方はいい迷惑《めいわく》なんだぞ、ほんと」

「またそれ？　いいじゃない。初めは嫌《いや》がっても、すぐに本気で戦うようになるでしょ、護堂の場合。本当はこういうのが好きなくせに、もっと素直になりなさいよ」

護堂の切々とした訴えを、エリカは微笑みながら退《しりぞ》ける。

「わたしたちは王と騎士。激しく美しき戦いを演じる義務があるわ。ふたりで育んできた愛にかけて、この決闘をすばらしいものに仕上げましょうね」

「俺の常識じゃ、愛を育んだふたりは命の取り合いなんかしたりしない。自分たちだけの常識を押しつけないでくれ！」

精一杯の反論をぶつけつつ、護堂は金髪の少女を観察する。

銀の獅子を破壊したのだから、原料となったエリカの剣も失われた。しかし、彼女が丸腰になったと考えてもいいのだろうか。

「クオレ・ディ・レオーネ――汝は不滅の鋼なり。我が心が折れぬ限り、決して折れず。獅子よ、我が手中にて健在を示せ！」

エリカが、銀の残骸《ざんがい》となったクオレ・ディ・レオーネへ手を伸ばす。

すこし前まで獅子の形をしていた鉄屑《てつくず》は、縮小し、バラバラに引き裂かれた部分も結合し、再び変形していく。

奇跡のように剣の姿へ戻った鉄屑は、エリカの手中へと飛んでいった。

「あいかわらず無茶苦茶な真似《まね》をするな、せっかく壊したのに……」

まあ、こんなところだろう。

決闘の場で剣のないエリカなど、想像もつかない。かえって納得した護堂は、さりげない目つきで観察を続ける。

幸い、さっき使った『雄牛』の怪力はまだ残っている。

あと一〇分ぐらいは保《も》つはずだから、その間にカタをつけたい。

――ロンドンの魔術師が『東方の軍神』などと名付けたらしい護堂の異常な体質は、特定の状況下になるとデタラメな能力を与えてくれる。

たとえば、『雄牛』の化身になれば怪力を発揮できる。

これを使うには、並はずれた剛力の所有者と戦わなければならない。

……しかし、だ。

先月、一三〇キロはある大男（明らかに格闘技の心得あり）に襲われたことがある。そのとき護堂は『雄牛』に化身できず、ひどい目に遭《あ》った。どうやら人間を凌駕する猛者《もさ》――アクセル全開で突進してくるRV車だの体重三〇〇キロ超の人食い虎だのが相手でないと、ダメらしいのだ。

他に、瀕死《ひんし》の重傷を負ったときだけ使える力もある。

極めつけは、民衆を苦しめる大罪人にのみ使える力だろうか。どれも嫌がらせかと疑うほど、ハードルは高かった。

「……我は最強にして、全ての勝利を摑《つか》む者なり。人と悪魔――全ての敵と、全ての敵意を挫《くじ》く者なり。故に我は、立ちふさがる全ての敵を打ち破らん！」

逞《たくま》しい雄牛の姿をイメージしながら、護堂はつぶやく。

軍神ウルスラグナが降臨《こうりん》と共に詠んだという聖句。神の権能を維持し、活性化させるための燃料のようなものだ。

『雄牛』の怪力が切れるまで、推定一〇分弱。

一度使った化身は、丸一日は再使用できなくなる。別の化身になった時点でも、この怪力は失われる。このため、あまり濫用《らんよう》もできない。

デタラメではあったが、何かと制限の多い特殊《とくしゅ》能力でもあった。

「さすがね、護堂！　口では常識家ぶった戯《ざ》れ言を言いながら、心と体は完全に臨戦態勢――それでこそ、わたしが愛する人よ！」

いやな誉め方をしながら、エリカが指を鳴らした。

直後、護堂の足元に一振りの槍《やり》が突き刺さる。長さ二メートル半ほどの長槍だった。クオレ・ディ・レオーネ同様、エリカが魔術で呼び出したのだろう。

「……もしかして、使えって言うのか？」

「もちろん。このエリカ・ブランデッリ、武器を持たない相手に剣を使い続けるほど野暮《やぼ》じゃないわ。今の護堂なら、それぐらい軽いものでしょう？」

「何で、そういう方に発想が行くかね……。俺に合わせて、自分が武器を捨てるとか考えろよ、平和的に」

ため息をつきながら、護堂は槍をつかみ取った。

たしかエリカの愛用する槍は、柄《え》の中に鉄芯を仕込んであるとかで、大の男でも扱いきれない代物だ。こんな剛槍を余裕で振り回すのだから、とんでもない怪力である。

身体能力を増幅させる魔術とやらの恩恵《おんけい》らしい。

エリカは華奢《きゃしゃ》だが、護堂を凌駕《りょうが》する腕力の持ち主なのだ。

が、それも普通のときの話。今の護堂は、この剛槍が三〇倍の重さでも爪楊枝《つまようじ》ぐらいにしか感じないはずだ。

護堂は槍をバットのように握りしめた。軽く振るだけで風が唸《うな》りをあげる。

――直後、エリカがするすると踏み込んできた。

まるで影が滑るような、気配のない動き。空気をかき乱すような粗暴さとは対極の、洗練された身のこなしだった。

無音・無風でクオレ・ディ・レオーネも空を裂《さ》く。

気づいたときには、銀の刃《やいば》が護堂の眼前に迫っていた。

「――素人《しろうと》相手にいいかげんにしろって！」

例えて言えば、ボクシングの世界ランカーに本気のジャブを打たれたようなものだ。

しかも、軽い拳とちがって必殺の一刀である。

速球投手のビーンボールを避ける要領で護堂は飛びのき、どうにか身を守る。

武道など学んだことはないので、ひたすら動体視力と反射神経だけが命綱であった。

「あのね護堂、今の剣を外せる時点で素人なんて言えないわよ」

「まぐれが続いているだけだ！　当たれば死ぬような急所ばかり狙いやがって！」

カンピオーネとなって以来、戦いの場では気味が悪いほど集中力が高まる。

そのおかげで、エリカの神速剣もどうにか見えている。

小学生の頃から、護堂は野球を続けてきた。中学時代は硬球野球《シニア》の強豪チームでキャッチャー兼四番としてレギュラーを張り続けた。

あの頃、調子が最高にいいときは、どんなピッチャーの速球も打ち砕いてみせた。

だから、このデタラメさが痛感できる。

今の自分が無茶苦茶なのは、戦いになれば常に最高の集中力、最高のコンディションを発揮《はっき》するところだ。これが健全なスポーツにも発揮できれば、一五〇キロ台の剛速球でも本塁打《ほんるいだ》にできそうな自信があるほどだ。

……おそらく、できる可能性は高い。

真剣勝負の場になると、体が勝手に最良の状態に近づいていく。カンピオーネになって以来、そういう体質になってしまったのだ。

護堂は体を動かすのが好きな方だが、高校では運動部に入っていない。

この体質は、あまりに卑怯《ひきょう》すぎる。公平ではない。そう痛感するからだった。

「さっきから好き勝手にやりやがって――。先に言っておくけど、手加減なんてできないからな。おまえの方で上手く避けろよ！」

叫びざまに、護堂は槍を振り回した。

知りたくもなかった知恵だが、こういう状況で守勢《しゅせい》に回ってはいけない。自分からも攻め込まなくては、相手が勢いづいてしまう。

刃物を使う気はない。

念のため穂先《ほさき》ではなく、石突きの方を前にしてエリカの足を払いにいく。

これは、飛びのいてかわされた。

しかし、遠ざかったエリカを追い込むようにして、次の一撃へ。バットを振り下ろすようにして槍を叩きつける。

今度は、エリカは退がらなかった。

わずかに横にステップするだけの、最小の動きで避けながら踏み込んでくる。

同時に、針のような一突きを護堂の胸元に。

カウンター！

エリカの意図《いと》を察して、護堂はあえて避けなかった。これはもう間に合わない。かわされたばかりの槍を横に振るう。

手首のスナップだけで剛槍はムチのようにしなり、華奢《きゃしゃ》な少女を払いのける。

人間離れした反撃だが、『雄牛』の怪力があれば造作もない。

間一髪《かんいっぱつ》。

クオレ・ディ・レオーネに貫かれる直前で、エリカを弾き飛ばすことができた。

「ふふっ……相変わらず、いいカンしてるわね、護堂！」

迎撃に失敗したというのに、エリカは微笑んでいる。

彼女の方にダメージはなさそうだ。実際、槍が当たる瞬間、自分から横に跳んで衝撃《しょうげき》を逃がしていた。さすがはエリカ。攻撃と防御、どちらにも隙《すき》がない。

これほどの達人を相手に、どうやって攻め崩す？

重要なのは観察することだ。

きわどい勝負の場に立つときほど、目と頭が冴《さ》える。昔からの、護堂の性分だった。

敵の一挙手一投足。表情。視線。

勝機につながる気配はひとつも見逃さない。敵の性格を見極め、思惑《おもわく》を読み、行動を見定める。観察し、考える。

人であれ神であれ怪物であれ、どんな強敵でも性格さえ把握《はあく》できれば対策は立つ。

いつのまにか、護堂の集中力は『勝つ』ために研《と》ぎ澄《す》まされていた。

意図してではない。自然とそうなったのだ。

久しぶりの勝負事。天才的な剣士で、怪しい魔術の使い手でもある難敵。その双方が、護堂を我知らず真剣にさせていた。

エリカに弱点はない。あっても、自分にそれを突く器用さはない。

だが、この娘の性格は手に取るようにわかる。エリカは悪魔じみた意地の悪さとは裏腹に、正攻法の信奉者だ。力の出し惜しみはしない。

最も好むのは正面突破。それも、最大級の攻撃力を叩きつける類《たぐい》の。

今エリカがそうしないのは、護堂の力を引き出すために手心を加えているせいだろう。

「何か企んでいる顔ね。狐《きつね》のように狡猾《こうかつ》で、獅子のように猛々《たけだけ》しい——それでこそ、わたしの護堂だわ。受けて立ってあげるから、やってみなさい！」

そう言われて、護堂は一瞬だけ、かすかに微笑んだ。

獰猛《どうもう》な形に唇が歪《ゆが》む。

何であれ、真剣勝負は面白い。自分の攻めを真っ向から受け止めてくれる相手がいるというのは喜ばしい。その思いが、無意識の内に笑みを浮かばせたのだ。

どれがいい？　最大の破壊力を持つ化身は『白馬』と『猪《いのしし》』。

『白馬』は無理。だが、『猪』なら何とか——。

「さて汝は契約を破り、世に悪をもたらした。主は仰せられる——咎人《とがびと》には裁きをくだせ。背を砕き、骨、髪、脳髄《のうずい》を抉《えぐ》り出し、血と泥と共に踏みつぶせと。我は鋭く近寄り難き者なれば、主の仰せにより汝に破滅を与えよう」

神々の詔《みことのり》であったはずの聖なる詩句。

その聖句が忽然と、言霊《ことだま》となって護堂の口からあふれ出てくる。

「猪は汝を粉砕する！　猪は汝を蹂躙《じゅうりん》する！」

これは、神々から奪った権能《けんのう》を誇示する、神殺しの勝ち鬨《かどき》である。

これは、仇敵《きゅうてき》たる神々へ向けた、人より生まれし魔王の挑発である。

これは、己《おのれ》が屠《ほふ》った神の力を掌握《しょうあく》するための、苛烈《かれつ》な意志の表明である。

天に住まう神々よ、我が言霊を聞き、陵辱《りょうじょく》された同朋《どうほう》の死に怒れ。

地を往く神々よ、我が言霊を聞き、いずれまみえる神殺しの暴虐《ぼうぎゃく》を呪え。

海に潜《ひそ》む神々よ、我が言霊を聞き、もはや逃げ場のない己の悲運に哭《な》き、嘆《なげ》け。

我は神々の怨敵《おんてき》である！　我は神力の簒奪者《さんだつしゃ》である！　無意識にすり込まれた魔王の本能が、護堂にこの言霊を吐かせるのだ。

「何だ、この地震は!?」

「猪と言っていた以上、これもあの方の権能なのでしょうね……。ウルスラグナ第五の化身は鋭い爪の猪、全ての物を一撃で粉砕する姿だと聞いていますが——」

城壁の上で、《雌狼》の総帥と『紫の騎士』が動揺《どうよう》している。

今の言霊は、破壊の権化たる神獣を呼ばわるための聖句だった。

神獣《しんじゅう》が降臨《こうりん》する気配を感じ取って、天はおののいて暗雲を呼び、地は恐れて微弱な地震を起こしている。

「そ、そう来たか……。わたし程度が相手の決闘で『猪』を使うだなんて、思い切ったことをしてくるわね。下手をすると、丘やコロッセオごとローマの街まで破壊されるわよ！」

珍しくエリカが狼狽《ろうばい》している。

滅多に見ることのできない彼女の慌《あわ》て顔に、護堂は満足感を覚えた。

「おまえとまともに戦っても、勝てないからな。だから、今ここで使える最強の攻撃をすることにしたんだ」

護堂たちのいる丘の上空では空間が歪《ゆが》み、この世ならざる異界と現世をつなぐ裂《さ》け目が穿《うが》たれ、そこから漆黒《しっこく》の毛皮を持つ巨大な獣が現れ出ようとして、もがいていた。

さきほどエリカが創った獅子よりも、二回りは大きな体軀《たいく》だった。

少なくとも全長二〇メートルはあるだろう。

今はまだ鼻先から首の辺りまでと、鋭く大きな二本の牙しか出てきていない。

しかし、まもなく全身が地上に現れ出るはずだった。

巨大な体軀の全体像がはっきりしないため、どのような『獣』かは判別できない。しかし、その鼻面と牙は猪のものだ。

護堂とエリカは、獣の偉容《いよう》を何度か目撃したことがあった。

黒々とした毛皮に、おそろしく太い胴回《どうまわ》りを持つ、巨大な『猪』。

本来は、ウルスラグナが主ミスラの敵を滅ぼすために化身した姿である。そして今は、護堂が『猪』の化身として召喚する、魁偉《かいい》な神獣であった。

なぜかは知らないが、これを使うための条件は融通《ゆうずう》が利《き》く。

護堂が『巨大な物体を標的に定め、破壊を決意』すればいい。正確に量ったことはないが、大体一〇トンを越えていそうな物体だと問題なく標的にできる。

『猪』の化身は、ただ巨大なだけではない。

その咆哮《ほうこう》は超音波となって周囲の建造物を破壊し、地を駆ければ小規模ながらマグニチュード五の地震を起こす。そうして攻撃目標が塵《ちり》となるまで（いっしょに、その他もろもろもガレキにしながら）暴れまくるのだ。

まさに怪獣と呼ぶしかない、凶悪な破壊力を持つ化身だった。

「やっぱり護堂は普通じゃないわね。いつもいつも口先だけの平和主義者なんだから……。エリ、エリ、レマ・サバクタニ！　主よ、何故《なにゆえ》我を見捨て給《たも》う！」

エリカが剣を天にかかげ、高らかに呪文を唱える。

もう何度も耳にした、最強の秘儀を解き放つための言霊だった。

「主よ、真昼に我が呼べど御身は応《こた》え給《たま》わず。夜もまた沈黙《ちんもく》のみ。されど御身は聖なる御方、イスラエルにて諸々《もろもろ》の賛歌をうたわれし者なり！」

絶望の言霊が大気を震わせ、世界を凍《こご》えさせる。

ゾクリと、護堂の体が震えた。

周囲一帯の気温がおそろしい早さで下がっていくせいだ。

……やはり、これを使ってきた。出し惜しみをしない分、エリカの手は読みやすい。否、読まれても構わずにねじ伏せる。そのつもりなのだろう。

護堂はちらりと地面を見た。

今の内に、目当ての物の位置を再確認しておく。

「我が骨は悉《ことごと》く外れ、我が心は蠟《ろう》となり、身中に溶けり。御身《おんみ》は我を死の塵《ちり》の内に捨て給う！　狗《いぬ》どもが我を取り囲み、悪を為《な》す者の群れが我を苛《さいな》む！」

天に神はおわせど、我を庇護し給うことはなし。

孤独と絶望、困窮《こんきゅう》と呪詛《じゅそ》。

暗き想念をこめた言霊が世界に満ち、操り手たるエリカに負の力を集めていく。

気温は下がる一方。すでに、身を切るような寒さだった。

「我が力なる御方よ、我を助け給え、急ぎ給え！　剣より我が魂魄《こんぱく》を救い給え。獅子の牙より救い給え。野牛の角より救い給え！」

古の聖者が死に際し、神への絶望と渇望《かつぼう》をこめて詠んだ禍歌にして賛歌。

これを聞くだけで常人は視力を失い、体の弱い者は倒れてしまう。使い手がその気になれば、そこに集まった人々全てを呪い殺すことさえできるという。

護堂は槍を捨て、とっさに屈《かが》み込んだ。

さっき位置を確かめておいた石ころを拾い上げ、すぐに投げる。昔、グラウンドで何万回と繰り返した動きだ。

狙いはエリカの胸元。

強肩と正確な送球には自信がある。この距離で外しはしない。

石と言っても、バカにはできない。古来、石つぶては最も手軽で安価な武器だった。十分に人を殺せる威力《いりょく》もある。ダビデが巨人ゴリアテを倒した武器も、石ころなのだ。

――これをエリカは、クオレ・ディ・レオーネで打ち落としてしまった。

『主よ、何故我を見捨て給う』。

この言霊は強力である。だからこそ、使い手は集中力を奪われる。つまらぬミスを犯してしまう。護堂が勝機を見出したのは、この瞬間だった。

エリカはこちらの意図を見抜けていない。だから、とっさに剣を使ってしまった。

『猪』を呼んだのは、彼女を押し潰すためではない。

このために——少しでもいいから彼女の構えを崩すためだけに、呼んだのだ！

剣先がそれた一瞬を狙い、護堂は駆けだした。

『猪』の化身を使っている間は、護堂自身も猪じみた突進力を得る。

……一直線に突っこむだけなので、ラグビーやレスリングならともかく、刃物を持った相手との実戦ではあまり使いたくないのだが。

それでも敵の構えが崩れれば、その隙をついてタックルをぶちかませる。

並の剣士なら、この突進であっさりと押し倒せただろう。

問題は、相手が並を遥かに上回る怪物だったことだ。

崩れていた構えを、エリカは一瞬で立て直すのだから恐ろしい。バランス感覚が並はずれているのだ。

クオレ・ディ・レオーネが閃《ひらめ》き、低い体勢で突っこんでくる護堂に斬り下ろされる！

幸い、わずかに『猪』の速さが勝った。

護堂の肩口を斬り裂いたのは、刀身の根本の部分だった。

傷は浅い。皮一枚分というところだ。

いくら達人でも、この部分で人を斬り倒したりはできない。あと少しでもタックルが遅ければ、刀身の上部――体重の乗った辺りで輪切りにされただろうが……。

肝《きも》を冷やしながらエリカに組みついた護堂は、そのまま勢いにまかせて押し倒す。

「――――!?」

さすがのエリカも、『猪』の突進力には為《な》す術《すべ》がない。

完全に馬乗りになり、押さえ込みの体勢に入る。

護堂はすかさず、クオレ・ディ・レオーネを持つエリカの手首も押さえつけた。

3

ふたりは、しばし無言で見つめ合った。

「……できれば、こんな格好はベッドでふたりきりのときだけにして欲しいんだけど」

「そ、そういう妙な冗談は言うな。もういいだろう？　マウントポジションを取ったわけだし、俺の勝ちでいいんじゃないか」

拗《す》ねた口ぶりのエリカに、護堂《ごどう》は淡々と言い返す。

「今のはちょっと卑怯《ひきょう》だと思う。きちんと打ち合ったわけじゃないし、全然美しくないし」

彼女の言い分はよくわかる。

エリカ好みの『最強の一撃の打ち合い』と思わせておいて、その前にあっさりと勝負をつけた。相撲《すもう》で言えば、横綱が猫だましやはたき込みを使うようなものだ。それに、汚くても卑怯でも勝ちは勝ちだろ？」

「おまえ相手に美しく勝つなんて器用な真似《まね》、俺には無理だよ。

「あのね、そんな風に思ってるから美しく勝てないの。まあ、そんな人だから、今まで勝ってこれたんでしょうけど……。いいわ、敗北を認めてあげる。騙《だま》されたのはわたしのミスだし。でも、今回だけよ。本当に、今回だけ！」

「……わかったよ。おまえも、負けると子供みたいなこと言うのな」

納得《なっとく》できないという顔つきのエリカは、拗ねた子供のようで微笑ましい。

いや。二秒後に護堂は思い直した。

急にエリカが、いたずらっぽく微笑んだからだ。

護堂を困らせて愉《たの》しもうと思いついたときの、悪魔めいた笑顔だった。

「ねえ護堂、わたしたちは今、久しぶりに抱き合ってるわけだけど――」

「ん、いや、これは決してそういう色っぽい状況じゃないと思うぞ！」

危険を察したときは、もう遅かった。

エリカは押さえつけられてない左手の方を、護堂の首に絡《から》めてきた。

「ちょうどいいから、あなたの勝利を祝う口づけをかわしましょう。ほら、こういうときにエスコートするのは殿方の仕事よ？」

と、ささやく桜色の唇がひどくなまめかしい。

「変な真似はよせッ。そういうのはやめろって言ったばかりじゃないか！」

「さあ、何のことだったかしら。ごめんなさい、愛しい人に騙《だま》されたショックで忘れちゃったみたい」

普段は意識しないように努めているが、エリカはおそろしくスタイルがいい。

糸杉《いとすぎ》のように細身のくせに、出るべきところは目の遣《や》り場《ば》に困るほど出ている。

ずしりと重そうな胸のふくらみは見事に実った果実のようだし、細いウエストから腰へと続く曲線の丸みと張りときたら、もはや犯罪と言っていいほど扇情的《せんじょうてき》だ。

そんな少女と密着し、熱い体温を感じながら、甘くキスをせがまれる。

この状況に流されてはいけない！

さきほどの決闘とちがい、これは自制心との戦いである。

控《ひか》えめな香水の匂い、そしてエリカの体温とやわらかさに目眩《めまい》を感じながら、護堂は強く自分へ言い聞かせた。

「あのな、こういうのは正式につき合っている恋人同士でするべき行為《こうい》であって、俺たちにはふさわしくないと思うんだ。ほ、他の人たちもいるし、もうやめよう！」

「わたしがしたいから、こうしてるの。護堂さえその気になれば合意が成立するから、何も問題はなくなるわよ？　人目が気になるなら、どこかでふたりきりになる？」

護堂の動揺を見透かしてか、エリカはあやしく微笑んでいる。

旅人のマントを脱がせるとき、もしかすると太陽もこんな風に悪魔的な笑顔だったのかもしれない。一刻も早く、この悪魔から逃げ出さなくては！

決心した護堂は、猛然《もうぜん》と身を起こした。

そこで、まだ地面が揺れていることに気がついた。

かなり揺れは大きい。

震度にして三ぐらいだろうか。

「あなたの権能、たしかに拝見させていただきました。予想以上ですよ、草薙護堂《くさなぎごどう》」

「あのような神獣まで飼い慣らしているとは、まこと『王』の名にふさわしき御力ですな。末恐ろしいものです」

「エリカ嬢との約定通り、我ら一同、あなたを真のカンピオーネと認め、引き立てさせていただきしょう。我が結社を代表して、誓約《せいやく》いたします」

揺れる地面に苦労しながら、騎士たちが近づいてきた。

『紫の騎士』と《雌狼》の総帥、いつのまに出てきたのか《老貴婦人》の総帥もいるので、全員が集合したことになる。

「ところでお願いしたいのですが、この揺れをそろそろ止めていただけませんか？」

「そうですね、早くあいつを送り返さないと大変なことになる……」

『紫の騎士』の申し出に、護堂はうなずいた。

勝敗が決した以上、『猪』を現世につなぎ止めておく必要は確かにない。精神を集中し、もういいから早く帰れと念じる。

これで巨獣は姿を消し、あとは帰って寝るだけ……にはならなかった。

『猪』は消えなかった。

出現途中のヤツの目が『オイオイ、わざわざ呼びつけておいて、そりゃ勝手すぎるんじゃねーか』と反抗的に訴《うった》えている──ような気がする。

「帰りたくないみたいだ……」

「それはマズくないですか？　あの神獣がこのままローマで暴れるというのは、最悪に近いシナリオだと思いますよ」

「たしかに最悪じゃ。何としても避けねばならない展開じゃぞ」

『紫の騎士』も《雌狼》の総帥も、落ち着かない様子でつぶやいた。

上空では『猪』の全身がいよいよ現世に現れ出ようとしていた。

このまま全身が露《あら》わになれば、ヤツは地上に降下し、破壊の限りを尽くすだろう。

「前に呼び出したときは、目標の破壊が終われば勝手に帰って行ったわよね。途中で追い返したことって今まであった？」

「一度ある。あのときは不満そうだったけど、素直に帰っていったんだよな」

とエリカに答えてから、護堂はある可能性に気づいてしまった。

『猪』に対する自分の支配力は、もしかすると絶対的なレベルではないのかも──という可能性に。命令はできても、必ず従ってもらえるとは限らない、とか。

「ここは、あの神獣に目標とやらを撃破させて、できるだけ短時間で追い返すべきではありませんかな？　それが被害を抑える最良の手段だと思われますな」

《老貴婦人》の総帥が、重々しい口調で進言する。

もっともな意見である。

ただ、指定した攻撃目標というのが——。それが何か、護堂の目の動きで見抜いたエリカはさすがだった。

「ねえ、護堂はわたしを標的に指定して、『猪』を呼んだわけじゃないんでしょう？　あれの標的にできるほど、わたしは大きくないし」

「……まあな。確かにべつの物が標的だよ、うん」

あまり突っこまれたくないところだったので、つい逃げ腰になる。

そこへエリカは、的確に切り込んできた。

「護堂が目をつけそうな物としては、ずばりアレなんかがありそうなんだけど。この辺ではいちばん目立つし、大きいし。でも、普段わたしに常識を持てとか言う人がやったりしないわよね？　ものすごく俗《ぞく》っぽい観光地だけど、れっきとした世界遺産よ」

エリカが追い込みをかける。護堂をチクチクといじめて愉《たの》しむつもりなのだ。

「アレ……とは、まさかアレのことですかな？」

震える声で《雌狼》の総帥が問い、震《ふる》える指でアレを指し示した。

その指の延長線上には、この丘からほど近くに立つ、巨大な帝国時代の闘技場——まがうことなきコロッセオが鎮座《ちんざ》していた。

……暴君ネロの御代には人工池のあった場所に、八年の歳月をかけて建造された。

ティトゥス帝治下の紀元八〇年に催《もよお》された、建立を祝う闘技祭は一〇〇日間も続き、九〇〇〇頭の猛獣が殺されたという。

以後も、幾万、幾十万の剣闘士と獣の命を吸い上げた地。

転じて中世には、壮麗《そうれい》な教会や邸宅《ていたく》を建造するための石材を調達する石切場となった、齢《よわい》二〇〇〇年を数える巨大な廃墟。

「いや、あれしか標的にできそうなのがなかったんで、つい……」

恐縮しながら護堂が認めた直後。

ついに『猪』の召喚《しょうかん》が終わり、完全に実体化した。

牙の先から四肢《しし》の爪先、尾に至るまでがこの世に現れ、おそらく数十トンはあるはずの巨体が地上に降り立つ。


オオオオオオオオオッッッッ！

オオオオオオオオオオオオオオオオッッッッ!!


この世ならざる獣が、ありうべからざる咆哮《ほうこう》をあげる。

猛《たけ》る意志にまかせて、猛然《もうぜん》と疾走《しっそう》を開始する。

黒き『猪』が大地を一蹴りするたび、とてつもない大揺れが周囲の地面を――否、ローマ全域を襲う。

無論、その向かう先はコロッセオである。

神獣はあっという間に目標へ到達するや、凄《すさ》まじい勢いで破壊活動を開始した。

この翌朝から三日間、世界中の各種メディアを騒然《そうぜん》とさせた大ニュース『ローマを襲った爆破テロの恐怖！　コロッセオ大破壊の謎』の真相が、これであった。

4

「もうお帰りになられるんですか？　せっかくお知り合いになれたのに、残念です……」

「一、二週間ゆっくりしていったらいいのに。このまま、どこかへ遊びに行きましょうよ。わたしたちに足りないのは、ふたりきりで過ごす甘い時間なのよ？」

別れを惜《お》しむアンナとエリカが、口々に言う。

護堂《ごどう》は少ない荷物をまとめながら、それぞれへ対照的な言葉を返した。

「俺も残念です、アンナさん。日本に来たときは連絡して下さい。そのときは俺の方から会いに行きます。エリカはそういう不真面目なことを言うな。そんなに学校をさぼれるわけないだろう。あと、甘い時間も必要ない。ないったら、ない！」

エリカが手配したホテルの一室である。

昨夜、コロッセオを『半壊』させた後、護堂はこの部屋で爆睡《ばくすい》した。

……あのような経緯で『猪』が乱暴狼藉《ろうぜき》の限りを尽くした結果、帝政ローマから人類が受け継いできた遺物は甚大《じんだい》な被害をこうむった。

惨劇《さんげき》を食い止めるために、護堂も努力はしたのだ。

必死に命令を繰り返し、どうにか『猪』を途中で送り返した。

ただし、その頃にはもうコロッセオは半壊の状態まで追いやられていた。もともと半壊していた建造物がさらに半壊したのだから、残ったのは四分の一である。

ひとりを除くイタリア人一同は、呆然《ぼうぜん》と惨状を見つめるばかりだった。

「まあ、ミラノもスフォルツェスコ城を犠牲《ぎせい》に捧げているのですもの。ローマだってコロッセオやパンテオンを供物《くもつ》にしてもらわなきゃ割に合いませんしね」

悪魔の異名を持つエリカだけは、嬉《うれ》しそうに言ったものだ。

また強請《ゆす》りのネタができたと思っていたのだろう。このことをダシにイタリアへ呼び出される日が、そう遠くない内に来るかもしれない。

しかも、この直後から三人の総帥は前にも増して恭《うやうや》しくなった。

「そうか、スフォルツェスコ城を半壊させたという、あの崩落《ほうらく》事故とは……」

「なるほど、この権能であれば、あの程度の破壊など児戯《じぎ》にも等しいでしょうね……」

《老貴婦人》の総帥がうなずけば、『紫の騎士』も感じ入る。

旧悪を暴かれた護堂は、ひたすら恥《は》じ入るばかりであった。ただエリカだけが愉《たの》しげに微笑んでいた。

「パレルモのフェリーチェ門やサルデーニャのカリアリ港も、我が君の前には脆《もろ》いものでした。ああ、シエナではカンポ広場に大断層を作ったわよね？」

「じ、事実だから否定はしないけど、自分は関係ないみたいに言うなよ。あの辺の事故は、おまえも共犯のひとりだぞ……」

護堂が恨めしくエリカを見つめていると、総帥たちは深く頭《こうべ》を垂《た》れた。

あげくに、暴君に仕える家臣じみた慇懃《いんぎん》な口調で言う。

「自覚があろうとなかろうと、やはり『王』は『王』であると痛感いたしました。いずれトリノへ参られるときは、御身の慈悲《じひ》を賜《たまわ》りたく存じます。どうぞ、よしなに――」

「我が百合の都、フィレンツェでも同じく――」

「こ、これ以上のお戯《たわむ》れは、我がローマへもご容赦《ようしゃ》いただきたく――！」

このような一幕の後で、護堂は自己嫌悪《けんお》に陥《おちい》りながら眠りについたのだ。

またやってしまったと、忸怩《じくじ》たる思いであった。

そして今朝、部屋にやってきたエリカとアンナから新聞の束を渡された。

「すごいですよ、護堂さん。新聞が二〇ページもコロッセオ爆破テロの記事で埋まっています。これって、ワールドカップでイタリアが優勝したときと同じくらいの扱いですよ！」

「大量の爆薬を使ったテロリストの仕業って線で、新聞は記事を書いているわね。あ、便乗《びんじょう》して爆破テロの犯行声明を出している組織があるみたい」

無邪気《むじゃき》にアンナが言えば、エリカも愉しそうに紙面をめくる。

彼女たちが持参した新聞は、どれも四分の一になったコロッセオが一面であった。インターネットでも、世界中のニュースサイトでこの事件が掲載されているという。

護堂はますます恥じ入った。

とはいえ、そろそろ帰国時間が迫っている。どうにか気持ちを切り替え、空港へ送ってくれと頼んでみたのだが――。

「帰るつもりなの、護堂!?　せっかく来たのに？　わたしといっしょにいたくないの？」

「あのな、俺は学生なんだよ。高校生だぞ。学校をさぼると妹がうるさいんだ。気持ちはありがたいけど、勘弁してくれ」

今、イタリアは日曜日の朝だが、日本ではもう夕方になっているはずだ。

これからすぐ空港に行って飛行機に飛び乗れば、東京に帰り着いたときには月曜日の昼頃だろう。毎度のことだが、ひどい強行軍である。

「仕方ないわね。空港まで送ってあげるけど、その前に渡す物があるわ」

エリカが足下に置いてあったスーツケースを取り上げ、開けてみせる。

中に入っていたのは、拳大のメダルだった。

素材はおそらく、磨《みが》き上げられた黒曜石《こくようせき》の類《たぐい》だろう。表面には人の顔を模したと思える稚拙《ちせつ》な絵と、十数匹の蛇の絵が刻まれていた。

蛇たちはまるで、顔の人物の頭髪のように描かれている。

ところどころ絵は消えかけ、石自体もかなり摩耗《まもう》していた。だいぶ古い物のようだ。

「何だ、これ？　俺に持って行けって言うのか？」

「ええ。話したでしょう、これがゴルゴネイオン——古き地母の徴《しるし》。数多の女神をまつろわぬ地母へと導く道標、いわば魔導書のようなものよ」

この説明に、護堂は首をひねった。

「魔導書って、本じゃないぞ。石のメダルだし、文字がない。絵しかないだろ？」

「紙どころか、文字すらない時代の産物だもの。でも、その役割、概念《がいねん》は書物と同じ。だから魔導書なの。ただし、最古に連《つら》なる古き女神以外には、何の意味もない代物だけどね」

「ゴルゴネイオンね。ゴルゴン……メドゥサ……だったか？　たしかペルセウスが倒した魔物だったよな。それと関係ある物なのか？」

髪の毛の代わりに蛇を頭部から生やした、美しきギリシア神話の妖女。

メダルの絵と今の話から、自然と護堂の連想が進む。

エリカは微笑みながら、うなずいた。

「もちろん。ただし、訂正させてもらうとメドゥサは由緒《ゆいしょ》正しい女神様よ」

「あれ、そうなのか？　……俺の記憶ちがいだったか」

「いいえ。ギリシア神話では、たしかにメドゥサは悪しき魔物よ。でも、実際は古い歴史を持つ大地の女神なの。数多の古き女神と深く関わり、三位一体《さんみいったい》を成す闇の聖母……」

何やら曰《いわ》くありげな言い回しだった。

それにうなずきながら、護堂はふと気がついた。

つい好奇心を刺激されて聞き入りそうになったが、これはエリカの罠《わな》だ！

「待て、エリカ。それ以上は説明しなくていい。俺は神さまのウンチク話は聞かないことにしたんだ。余計な準備はしたくない。やめてくれ！」

「だから、時間の問題だと思うのよね。きっと護堂の方から、教えてもらいに来るわよ」

「それはない。今度こそ——きっとない！　大体だな、そんな危険な物、持って帰れるわけないだろう？　悪いけど受け取らないぞ」

怪しい女神を呼び込むという、得体の知れないメダル。

これが原因で東京に危険な化け物が出現したら、さすがに目覚めが悪い。

護堂の拒絶に、エリカは『へえ、そんなこと言っちゃうんだ〜』という感じで微笑んでから、わざとらしく目を伏せた。

「そう——なら仕方ないわね。このままゴルゴネイオンがこの国にあったら、いずれ『まつろわぬ神』が降臨するでしょう……。でも、わたしたちには頼るべき王はいない。誰かさんとの決闘で大怪我して、姿を消してしまったから……」

ほのかに悲壮《ひそう》感をにじませながら、淡々とエリカがつぶやく。

痛いところを突かれた護堂は、思わず縮こまった。

「ねえアリアンナ、もし神が現れたときは名誉にかけて、あなたのことを守るわ。——でも、ごめんなさい。わたしの力ではきっと神には敵わない。せめて、あなただけでも生きのびられるように死力を尽くして戦うから！」

「そ、そんな!? エリカさま、そんなことをおっしゃらないで下さい！ わたしもエリカさまと共に戦います。大したことはできませんけど、足手まといにはなりません！」

「なんて健気《けなげ》な娘なの……。あなたの勇気に、神の御加護《ごかご》がありますように！ ああ、でも、頼る者のないか弱き市井《しせい》の人々は、一体どうなることでしょう……！」

わざとらしく小芝居《こしばい》を打つ女主人に、アリアンナが真剣に応じている。

エリカの目が明らかに笑っているのを、護堂は見逃さなかった。この女はどうすれば草薙護堂の心に負担を与えられるか、熟知しているのだ。

なんて悪辣《あくらつ》なヤツ！

良心と義侠《ぎきょう》心《しん》と地元への義理の間でしばらく思い悩んだあと、護堂はようやく返答をしぼり出した。

「………わかったよ。俺が持っていけばいいんだろうッ。くそ、これで何か起きたら、東京都民にどうやって言い訳すればいいんだ!?」

「気にしない気にしない。王の気まぐれで街ひとつ滅ぶことなんて、ヨーロッパじゃ日常茶飯事なんだから。これで東京も世界標準に追いつくわよ」

「いいかげんなウソつくな！」

半ばやけっぱちでゴルゴネイオンを受け取る護堂に、エリカが笑いかけてくる。

やっぱり、こいつは悪魔だ。俺に災難を振り分ける凶運の使者にちがいない。その思いを新たにする護堂であった。

──ゴルゴネイオン。

『三位一体《さんみいったい》』の叡智《えいち》を刻んだ《蛇》は、仇敵《きゅうてき》の手に渡ったようだ。

コロッセオの瓦礫《がれき》を踏みしめながら、彼女はそれを直感した。

この地に残るゴルゴネイオンと仇敵の余韻《よいん》。この石造りの闘技場を破壊したのは、まちがいなく神殺しの権能である。

……周囲では一〇〇を越える数の人間たちが、忙《いそが》しく作業している。

しかし、彼女を気にする者など、ひとりもいない。

当たり前だ。

今は、わずらわしい者どもに関わっている暇《ひま》などない。そう思うだけで、只《ただ》の人間風情が彼女の存在を知覚することなどできなくなる。

惨状《さんじょう》を見回しながら、彼女は先日出会った神殺しのことを思い出した。

異邦から来た、若き魔王。

やはり、あの者の仕業だと見なすべきだろう。ヘルメスの弟子ども──人間風に言えば魔術師たちは、扱いあぐねたゴルゴネイオンをあの神殺しに託したのだ。

異邦人の手に渡ったのなら、おそらく《蛇》も異国に持ち去られたはず。

いいだろう、と彼女は思う。

異邦より招来されたのは、こちらも同様。

海を越え、さらなる異邦へと旅立つのに何のためらいがあろう？

《蛇》と彼女の間には、決して朽《く》ちない絆《きずな》がある。その絆が、彼女を《蛇》の元へと導いてくれる。

「我が求むるはゴルゴネイオン。かつて我が楯《たて》に刻み、古《いにしえ》を偲《しの》ぶよすがとした蛇」

自然と謡《うた》が、口をついて出る。

あの《蛇》を手に入れるためなら、喜んで海を渡ろうではないか。

遥かな東方へと目を向けて、足を踏み出す。

「我が求むるはゴルゴネイオン。まつろわぬ身となった我に、古き権威を授ける蛇」

彼女の呼び名は多い。

ゴルゴンもメドゥサも、かつて所有した名前のひとつに過ぎない。

しかし、その意味するところは全て同じだ。これらはかつて地中海に君臨《くんりん》した、三位一体の聖母を讃える尊称なのだ。

「我が求むるはゴルゴネイオン。古の蛇よ、願わくば、まつろわぬ女王の旅路を導き給え。闇と大地と天上の叡智を、再び我に授け給え！」

まつろわぬ女神は異邦を目指す。

東方へと至る旅路を、ゆっくりと歩み出す。

# 第3章　王様のいる風景

## 1

芝《しば》公園と東京タワーの程近く——高級ホテルや学校、テレビ局、ラジオ局、大使館などが建ち並ぶ界隈《かいわい》には、妙に神社仏閣が多い。

その一画に、細い小道がある。

一応、大通りには面しているものの、知らなければ見落としてしまいそうな道幅である。

この入り組んだ道を歩いていくと、いつのまにか石段の前に出る。

優に二〇〇段はあり、都心の真っ只中《ただなか》にある石段にしてはやけに高い。

七雄《ななお》神社は、ここを登り切った高台の上にあった。

鎮守《ちんじゅ》の森とまではいかないが、緑の木々に囲まれた社の中はなかなか静かで心地よい。

境内《けいだい》には、拝殿《はいでん》から少し離れた場所に平屋造りの社務所《しゃむしょ》がある。

その一室で、万里谷祐理《まりやゆり》は身支度を整えていた。

白衣《びゃくえ》と緋袴《ひばかま》をまとい、鏡に向かって長い髪をくしけずる。

射干玉《ぬばたま》の黒髪というには、茶色味が強い。染めているわけではなく、生まれつき色が薄いのだ。

そう、祐理のひそかなコンプレックスだったが、今は重要ではない。

重要なのは髪を梳《と》かしていた櫛《くし》が唐突《とうとつ》に折れてしまったことだ。

「……不吉だわ。何か良くないことでも起きなければいいけど」

いささか非科学的な感想をつぶやく。

何となく、凶兆《きょうちょう》を感じたのだ。

少し調べた方がいいのかもしれない。普通の少女なら即座に忘れていい程度の出来事だが、彼女の場合はちがう。

身支度を終えた祐理は、社務所を出た。

拝殿へと向かう道すがら、数人の神職とすれちがう。

頭を下げて挨拶《あいさつ》する彼らに、祐理も会釈《えしゃく》をして答える。一五歳の巫女《みこ》を相手にひどく丁寧《ていねい》な振る舞いだったが、ちゃんと理由があった。

この社では、万里谷祐理こそが誰よりも格上の存在なのだ。

「——やあ媛巫女《ひめみこ》、お初にお目にかかります。少しお話をさせていただけますか」

不意に、気楽そうな声で呼び止められた。

媛《ひめ》と呼ぶくせに、敬意はこもっていない。どこか道化《どうけ》じみた話しぶりだった。

声の主はゆっくりと祐理に近づいてくる。皮靴で境内を歩いてくるのに、踏みつける玉砂利《たまじゃり》

はかすかな音も立てない。

見る者が見れば、即座に只者《ただもの》でないと見抜ける歩き方だ。

「……はじめまして。あなたは？」

「や、これは失敬。申し遅れましたが私、甘粕《あまかす》と申します。麗《うるわ》しき媛巫女にお会いできて、光栄の至りですよ。以後お見知りおきを」

名乗りながら甘粕は、名刺を祐理の前に差し出してきた。

受け取って一瞥《いちべつ》する。

甘粕冬馬《とうま》とあった。だが問題は、名前の脇《わき》に書かれた肩書きの方だ。

「正史編纂《せいしへんさん》委員会の方が、私にどのような御用があるのですか？」

不審《ふしん》に思い、祐理は訊《たず》ねた。

くたびれた背広をだらしなく着崩した、せいぜい二〇代後半の地味な青年。

だが、これでも日本の呪術界を統括する組織の使者なのだ。丁重に、そして慎重に接しなくてはいけない。

「いえね、我が国に未曾有《みぞう》の災厄《さいやく》となるかもしれない火種がありまして、少々手を焼《や》いているのです。そこで、媛巫女のお力を貸していただきたく思い、ぶしつけにもお邪魔《じゃま》いたしました。お許し下さい」

「……私ごときでお手伝いできることなど、大してないと思いますが」

「また、ご謙遜《けんそん》を。武蔵野《むさしの》の媛巫女は幾人《いくにん》もいらっしゃいますが、あなたほど霊視の呪力に長《た》けた方は稀《まれ》だ。ま、それ以外にも二つ理由がありますけどね」

日本古来の呪術を継承する呪術師、霊力者たちがいる。

万里谷祐理も、そのひとりだ。

武蔵野――つまり、関東一帯を霊的に守護する一団に属し、若いながらも媛と呼ばれる高位の巫女として責務を果たしている。

「あなたには武蔵野の媛巫女として、我ら正史編纂委員会に協力する義務がある。おわかりですね？　この際、疑問は横に置いて、話を聞いていただきましょう」

「……もちろんです。では、私に何をしろと？」

「とある日本人の少年がいます。彼と会って、その正体を見極めていただきたい。草薙護堂《くさなぎごどう》といいましてね、正真正銘《しょうしんしょうめい》のカンピオーネではないかと疑惑《ぎわく》のある人物なのです」

「カンピオーネ？」

欧州における、最大最凶の魔王を呼ぶ称号。

思いがけない単語を聞かされて、祐理はひどく驚いた。

――炯々《けいけい》と輝《かがや》く、虎《とら》の瞳《ひとみ》。

この呼び名はいつも、彼女に老いた魔王の邪眼《じゃがん》を思い出させる。

「あなたを選んだ理由のひとつが、もうおわかりですね？　あなたには幼い頃、デヤンスタール・ヴォバンと遭遇《そうぐう》した経験がおありだ。カンピオーネの鑑定もたやすいはずです」

「……ええ。カンピオーネとはつまり、日本で言う荒ぶる鬼神《きしん》の顕現《けんげん》、忌《い》むべき羅刹《らせつ》王《おう》の化身です。でも、信じられません。只の人間が『王』となるためには、神を殺《あや》める必要があるのですよ？　――そんな奇跡を起こせる人間が、この国にいたなんて！」

もう五年も前の話だが、祐理は東欧《とうおう》の小国でカンピオーネと間近に接したことがある。

デヤンスタール・ヴォバン。

その名を聞くだけで欧州《おうしゅう》の魔術師はすくみ上がり、魔除けの祈りを唱える。

暗闇《くらやみ》で燃える猛虎《もうこ》の双眼《そうがん》じみたエメラルド色の瞳を、祐理は一生忘れないだろう。

この魔王は睨《にら》みつけるだけで生者を塩に変える権能の所有者だと後で聞いて、刷り込まれた恐怖は一層大きくなった。

「同感です。だから私たちも、草薙護堂が本物だとは信じてこなかった。いや、信じたくなかった。しかし、さまざまな状況証拠が積み重なりまして、そうも言えなくなってきたのです」

と、甘粕は大げさに肩をすくめてみせた。

「グリニッジの賢人議会によれば、草薙護堂は今年の三月、南イタリアのサルデーニャ島でペルシアの軍神ウルスラグナを倒し、王の資格を得たそうです。その後もイタリアを四度訪れていますが、そのたびに彼が現れた街では大きな破壊活動が発生している。何らかの因果関係があるのは明らかです。――先週、ローマで起きた騒ぎをご存じですか？」

「……まさか、あのコロッセオ爆破テロも？」

「あのテロが起きた当日、草薙護堂はローマを訪れています。彼を呼び寄せたのは、魔術結社《赤銅黒十字《しゃくどうくろじゅうじ》》が生み出した若きテンプル騎士、エリカ・ブランデッリ。しかも、帰国した彼は曰《いわ》くありげな神具まで携帯していたそうで……」

「神具――」

その言葉が、祐理の心に引っかかった。

彼女を媛巫女たらしめる呪力――極めつけに強力な霊感と霊視の力が、訴えていた。これを無視してはいけない。とてつもない災厄を呼び込む物だと。

「草薙護堂という方について、詳しくお教え下さい。私たち同様、何らかの呪術を修《おさ》めた方なのですか？　それとも武芸の心得がおありとか？」

この件に全力で取り組む決意を固めて、祐理は訊《たず》ねた。

もちろん、魔王は恐ろしい。できれば避けて通りたい。だが、誰かがやらねば大勢の人々が苦しむのだ。ならば、ここで指名されたのも何かの縁だろう。

「呪術や魔術に関しては、素人《しろうと》のはずです。武術も同じでしょう。本来なら、神と戦うどころか関わることさえない家の出なんですがね。――これをお渡ししておきます」

甘粕がカバンから書類の束を取り出し、手渡してくれた。

斜め読みしてみる。

草薙護堂に関する調査報告書だった。彼の個人情報、経歴、イタリアでの行動内容、カンピオーネとしての能力などが、推測まじりに記されている。

「……まあ強いて言えば、野球のシニア世界大会に向けた日本代表候補だったことが普通でないところですね。何でも、中学時代は関東屈指の四番打者だったとか」

「シニアと言いますと？」

「硬球で試合をする、中学生たちの野球リーグですよ。代表合宿中の練習試合で肩を壊す事故に遭《あ》って、そのまま引退したそうです」

「そうですか……。ところで、なぜ南イタリアでペルシアの神と戦うことになったのでしょう？　かなり場違いな印象を受けるのですが？」

「それに関しては、アレクサンドロス大王辺りに文句を言うべきかもしれませんね。かの大王の治世にギリシア人とペルシア人の融和《ゆうわ》が図られ、ヘレニズム文化が生まれました。欧州とオリエントの文化は、日本人が考える以上の影響をお互いに与え合っているのですよ」

苦笑まじりに、甘粕が語る。

「ウルスラグナは、インド神話におけるインドラに相当する神格だとも言いますがね。実はアレクサンドロスの時代に、かの英雄神ヘラクレスとも習合しています。アルタグネスというギリシア風の呼び名まであるぐらいです。アレクサンドロス大王の死後、一部の臣民《しんみん》がポンペイウスの手引きで現在の南イタリアへ移住したという話もありますし、全く筋違いの出現地域でもないと思いますよ」

説明を聞きながら、祐理は資料をめくる。

途中に、金髪の少女の写真が挟み込まれていた。……同性の祐理でもドキリとするほど美しく、印象的な顔立ちだった。

「ああ、その娘がエリカ・ブランデッリ——草薙護堂の愛人と目される少女です。剣と魔術にかけては掛け値なしの天才だそうで、絵に描いたようなサラブレッドの魔術師ですな」

「愛人!?」

その背徳的な響きに、祐理は思わず絶句した。

「草薙護堂の重要性にいち早く気づいた《赤銅黒十字》が、彼女をあてがったのですな。結社の切り札である天才児を使ってでも、彼との絆《きずな》を深める。妥当《だとう》な策と言えるでしょう」

「そ、そんな理由で愛人に!?　ふ、不潔《ふけつ》です。不道徳ですッ。そんなのまちがっています！　魔王の力をいいことに、女性を自由にするなんて――許せません！」

資料に添付された草薙護堂の写真を、祐理は険《けわ》しく睨《にら》みつけた。

自分はささやかな力しか持たない巫女だが、こんな暴君を認めるわけにはいかない。その決意と義憤《ぎふん》が、彼女のカンピオーネへの恐怖を薄れさせてくれた。

「……そういえば、私に事を委《ゆだ》ねる理由が二つあるとおっしゃっていましたね。もう一つを教えていただけますか？」

「ああ、もちろん。こちらは完全に偶然だったのですがね――」

甘粕の答えを聞いて、祐理は奇妙な巡り合わせに目を丸くした。

まさか、そんなところで草薙護堂との縁があるとは思いもしなかったのだ。

2

ローマから帰国して数日が過ぎた。

週も半《なか》ばの木曜日、草薙護堂《くさなぎごどう》は放課後の自由時間を満喫《まんきつ》しているところだった。

高校を出て少し寄り道した後、自宅への帰路につく。

ようやく時差ボケも収まり、気分も軽い。――まあ、自宅の押し入れに眠るゴルゴネイオンのことを思い出すと、憂鬱《ゆううつ》な気分になりはするのだが。

実は帰国した直後に、あのメダルを破壊できないかといろいろ試してみた。

結果は最悪だった。

さんざん苦労した挙げ句、かすり瑕《きず》ひとつ付けられなかったのだから。

そういえば、別れる前にエリカが言っていなかったか。

――あれは石に見えて石でなく、神々の叡智《えいち》を記録する記号に過ぎないから決して朽《く》ちず、決して滅びないと。

自分を取り巻く状況のデタラメさに嫌気《いやけ》を感じながら、護堂は家路を辿《たど》る。

東京都文京区《ぶんきょうく》の根津《ねづ》が、草薙家の地元である。

地下鉄の駅近くにある商店街。その一画にある、つぶれた古書店。

そこが護堂の家だった。店主である祖母が四年前に亡くなると、自然に店をたたむ形になったのだ。

もっとも、往時《おうじ》でさえ開店休業中と言っても差し支えない状態ではあった。

何しろ、マンガなど一冊も置かないという時流の読めない店だった。神保町《じんぼうちょう》辺りならともかく、小さな商店街の古書店がそれでやっていけるはずもない。

爾後《じご》、草薙家は家業を再開しないまま、現在に至る。

ちなみに、この根津三丁目の商店街には、それなりに東京下町の風情が残っている。地元民である護堂にはピンとこないが、そう評する人は多い。たしかに古い建物、どこか昭和を感じさせる商店や家屋が目立つかもしれない。

記憶に新しいローマの街並みとは、ひどくちがう。

あの街には近代的なビルも少なく、コンビニもない。ゴシックの香り漂《ただよ》うレンガ造りの建物ばかりだった。

そのくせ住民は、大阪か名古屋に来たかと錯覚《さっかく》を覚えるほどエネルギッシュなのだ。

「おかえり、お兄ちゃん。……感心だね、今日は早く帰ってきたじゃない」

いきなり、声をかけられた。

顔を見るまでもない。もう十数年もつき合ってきた家族の声だ。

「なあ静花《しずか》、今の言い方はおかしくないか？　俺はこのところ、早めに帰ってきた日の方が多いはずだ。それをいつも夜遊びでもしてるみたいに――」

「ここ何日かはね。でもさ、土曜日の朝に出てったきり日曜の夜にも帰ってこなくて、月曜日は学校までサボったよね。一体、どこで何をしてたの？」

険《けん》のあるまなざしで、一歳下の妹がにらみつけてくる。

草薙静花、一四歳。中学三年生。

学ランを着ている護堂とちがって、制服姿ではなかった。

両手で大きなエコバッグを持っており、その中には野菜や牛乳、鮮魚といった品々が収まっている。どうやら家で私服に着替えてから、夕食の買い物をしてきたようだ。

「だから、泊まりがけで友達の家に行ってきただけだって。何度説明させるんだよ」

月曜にイタリアから戻って以来、同じ返答を幾度《いくど》も繰り返してきた。

いいかげんに辟易《へきえき》していた護堂は、かなり投げやりに言った。

……身内を誉《ほ》めるのは照れくさいが、静花はそれなりに可愛《かわい》らしい顔立ちをしている。

しかし、妹のくせに兄に対して生意気な口を利くことが多く、母親のように世話を焼《や》こうとし、小言を言う。どうにも厄介《やっかい》な存在だった。

「友達ねえ……友達かあ……。ふうん……」

「言いたいことがあるなら、はっきり言え。そういう持って回った口の利き方は好きじゃないぞ、俺は」

そう告げながら、護堂は妹の手からバッグを取り上げた。

特に気を遣《つか》ったわけではなく、こういう行動が自然と出てしまうのだ。おそらく幼い頃から受けてきた祖父の薫陶《くんとう》ゆえだろう。習慣というのはおそろしい。

そんな兄を、静花は胡散《うさん》くさげに眺めていた。

「じゃあ訊《き》くけど、そのお友達って女？」

「……………男だゾ、モチロン」

さて、今の大ウソは本当らしく聞こえてくれただろうか。

静花と並んで歩きながら、護堂はできる限り平静を取りつくろう。だが妹は、心のなかで見たこともない神に祈る兄へ新たな爆薬を投げつけた。

「へえ、そうなんだ。ところでエリカさんって誰？」

「——!?」

護堂は絶句した。なぜ静花がその名前を知っている!?

「だ、誰ってそりゃ……ええと、何て言うか——」

「実はね、今まで黙《だま》ってたんだけど、土曜日にお兄ちゃんがいなくなった後で、その女の人から電話があったの」

獲物を撃ち落とす寸前の狩人じみたクールさで、静花が説明する。

週末の草薙家にかかってきた一本の電話。

静花が出てみると、相手はエリカ某《なにがし》と名乗り、丁寧な挨拶をしたそうだ。

——今回、どうしてもお兄様に来てもらう必要ができたので、急な招待をさせていただきました云々《うんぬん》。こちらに数日泊まってもらいますが、どうか心配なさらないで云々……。

「綺麗《きれい》な声の人だったなァ。やっぱり、顔の方も綺麗なの？　お兄ちゃん、その辺りはどうなのよ？　歳は？　あ、この期《ご》に及んで、エリカさんは男だとかバカ言わないでね」

淡々と静花は、逃げ道をふさいでいく。

なんて女たちだ……。護堂はエリカと妹の双方を呪わずにはいられなかった。

エリカがそんな電話をかけてきたのは、どうせ悪戯心《いたずらごころ》を起こしただけだろう。草薙家にいらぬ波風を立てて、おもしろがるためにやったのだ。

しかし、静花までこんな策を弄《ろう》するとは――。

我が妹ながら恐《おそ》ろしい。

この数日間、決定的な情報を握《にぎ》りながらあえて護堂を追い込まず、泳がせていたのだ！

「後ろめたいことがあるから、ウソ言ったんだよね？　おじいちゃんが予想した通りだったとは、意外だったなー。まさか、お兄ちゃんにそんな甲斐性《かいしょう》があるなんてね」

「じ、じいちゃんは何て言ってたんだよ!?」

「行き先も告げずに女の子のところへ行くのだから、複雑な事情があるんだろう。自分にも覚えがあるって――。見損なったよ、お兄ちゃん！　事情って何？　不倫《ふりん》、略奪愛、歳の離れた相手や美人女教師との禁断の恋……どうせ、そんなところでしょ！」

勝ち気そうな瞳を思いっ切りつり上げて、静花が詰め寄ってくる。

護堂は勢いよく首を横に振って、否定しにかかった。

「じいちゃんじゃないんだから、そんな危ない真似《まね》できるか！」

「フン！　直系の孫で男子はお兄ちゃんだけなんだよ？　顔だって似てるし、唐突《とうとつ》に開眼《かいがん》しておじいちゃんの才能を受け継ぐとか、ありそうな話じゃない！」

「あるか！　じいちゃんが女性関係に強いのは、ＤＮＡのおかげじゃないッ。ああいう人間性だからであって、孫だから跡《あと》を継げるものじゃないだろ！」

なぜ商店街のどまんなかで、こんなバカげた兄妹ゲンカをしなくてはいけないのか。

周囲の人々の視線が、護堂には痛い。

静花もむなしさと恥《は》ずかしさを感じたのか、急に声を低めた。

「……じゃあさ、何でウソついたの？　やましくないなら、堂々と本当のことを言ってよ」

「こういう風になるのが面倒だったからだよ。エリカってヤツは腐《くさ》れ縁《えん》になりつつある友達なんだ。あいつのところに行ったのは本当だけど、他の友達もいっしょだった。おまえが疑うような仲じゃないよ。……この説明じゃ、納得できないか？」

妹の頭にポンと手を乗せ、落ち着かせるように撫《な》で回す。

静花は複雑そうな表情でそれを受け容れ、ふうとため息をついた。

「納得、できなくはないけど……。じゃあ、これからは絶対にウソつかないでよね。いくら口先でごまかしたって、普段の態度や行動で見抜けるんだから。わかった？」

「ああ。この話はもうお終《しま》いな」

一段落すると、静花は照《て》れくさげに笑いかけてきた。こういう表情ばかりなら、素直に可愛い妹だと自慢できるのだが。

護堂はやや苦笑気味に笑い返した。

「お兄ちゃんさ、昔は野球ばかりでいつも帰りが遅かったよね。土日も朝から晩まで練習だったし。高校では運動部とか入らないの？」

「……そういう気分にはならないな、まだ。もう少し遊んでいたい、うん」

唐突に話題を変えられて、護堂は一瞬だけ返答に詰まった。

この質問が、正直いちばん困る。上手くごまかせる自信もない。

案の定、静花は心配そうな目を向けてきた。

「肩……まだ痛い？　えっとさ、専門外のあたしが口を出すことじゃないかもだけど、肩がダメでもできるポジションとかあるなら――って、ごめん。あたし今、余計なことを言いそうになった」

途中で静花は発言をやめた。

……こいつはやっぱり、俺の妹だと護堂はくすぐったい気分になった。

口が達者なようでいて、肝心《かんじん》なときに口下手になる。こんなところで兄貴に似なくてもいいだろうに。

「うん、余計なお世話だ。俺はいいかげん、体育会系のノリにはうんざりしてるんだよ。だから、野球部にも運動部にも入らない。な？」

もう一度、護堂は妹の頭をやさしく撫でた。

今の言葉がどれだけ本当らしく聞こえたかは不明だが、静花は黙《だま》ってうなずいてくれた。おそらく愚兄《ぐけい》よりは確実に賢い妹だから、要らぬ口出しは控《ひか》えてくれたのだろう。

——もっとも、さすがの静花でさえ気づいていない事実がある。

カンピオーネとなったことで、へろへろ球しか投げられなくなったポンコツの右肩はかつての強肩《きょうけん》として甦《よみがえ》っていた。常軌《じょうき》を逸《いっ》する快復力《かいふくりょく》の恩恵《おんけい》だった。

高校に入る前、あの怪我《けが》のせいで護堂は野球のことを諦《あきら》めた。

今そこから目を逸《そ》らす理由は、そのときとはちがう。道理の通じない自分の肉体が、スポーツマンシップに激しく反するからだ。

高校の野球部は、何年も一回戦敗退を繰り返している弱小クラブである。

それでもときどき、だるそうに白球を追いかける彼らがうらやましくなる。あの中に護堂が混ざることは、多分、許されないだろう。

死ぬはずの命を拾った代償《だいしょう》なのだから仕方ない。そう割り切るべきなのかもしれないが。

3

午後六時を回った頃、護堂と静花は自宅の前へ帰り着いた。

かつては古書店だったため、正面の出入り口はスライド式のガラス戸だ。

戦前から受け継ぐ住居は、木造二階建て。

古いながらも三度に及ぶ改築・建て増しのおかげで、それなりに快適ではある。

兄妹そろって家へ入ると、深みのある祖父の声が出迎えてくれた。

「おや、ふたりそろって帰ってくるとは珍しいな」

書棚の古書を眺《なが》めていた祖父・草薙一朗《いちろう》が言う。

数年前まで店舗だった部分なので、古本を詰め込んだ書棚《しょだな》が幾重《いくえ》にも並んでいる。閉店時に処分できなかった書物が、今では多すぎる蔵書として詰め込まれているのだ。

それにしても――。

古書の間に立つ祖父は、あいかわらず決まっている。

清潔感《せいけつかん》あふれる服装をパリッと着こなし、物腰も話しぶりも知的かつ穏《おだ》やか。七〇過ぎのくせに色気すら漂《ただよ》わせる、おそろしく垢抜《あかぬ》けた男ぶりだった。

祖父は仕事で留守がちな母親に代わって、孫の面倒を昔からよく見てくれた。

気配りも細やかでマメに家事をこなし、日々の食事も作ってくれる。

純粋に祖父として見れば、何の問題もない人なのだが――。

「もしかすると、静花はついに護堂を締《し》め上げたのか？　首尾はどうだった？」

「何て言うか、保留中って感じ。お兄ちゃんが、只《ただ》の友達だって言い張るの。今日からの行動で本当かウソかを見極めて、それから改めて問いつめるわ」

「……ふたりして、物騒《ぶっそう》な話をしないでくれ」

孫たちの顔を見るなり、恐いほどの鋭さで事情を見抜く祖父。

兄への信頼感に欠ける発言をする、勝ち気な妹。

ここに今は不在の母と、離婚したために離れて暮らす父を加えた五人が護堂の家族である。

「まあ静花も、ほどほどにしてあげなさい。僕にも覚えがあるけどね、護堂くらいの年頃に外泊を重ねるのは珍しいことじゃない。口うるさくしなくてもいいと思うよ」

「じいちゃんと一緒にしないでくれ！　学生のくせに当時つき合ってた未亡人とか芸者さんとかの家を泊まり歩いて、二週間も学校に行かないなんて、俺には絶対ムリだよ！」

同類を憐《あわ》れむ目の祖父に耐えかねて、護堂は言った。

しかし、返答はひどく真実味に欠けていた。

「誰から聞いたんだい、そんなデマを？　僕だって、学生の頃は真面目に勉強していたよ。変なうわさを信じないで欲しいな」

にこりと笑いながら、祖父は涼《すず》しい顔ではぐらかす。

この笑顔の心は『そう堅いことを言うな、おまえももっと羽目《はめ》を外しなさい』である。

祖父・草薙一朗は昔、相当な遊び人だったらしい。

老いて尚《なお》これだけの伊達《だて》っぷりを見せるのは、往年の名残《なごり》である。

祖父が若かりし頃の逸話《いつわ》を聞くにつけ、護堂は思う。――なるほど、それだけ遊蕩《ゆうとう》の日々を送らなければ、これほど洒脱《しゃだつ》な老人にはなれないのか、と。

「さあ、静花が買い物をしてきてくれたことだし、夕飯の準備をしようか。ふたりとも、手伝ってくれるかな？」

祖父はさらりと言って、さりげなく話題を変えた。

この辺りは本当にスマートだ。人あしらいが抜群に上手い人なのだ。

静花もそれを承知しているので、祖父に口うるさくはしない。役者がちがいすぎて勝負にならないからだ。その代わり、兄の方に手厳しくする。

せめて祖父の半分でも器用さがあれば、妹にもエリカにも負けないのに――。

ときどき、無い物ねだりをしたくなる護堂であった。


居間の食卓に、夕食の皿が並ぶ。

メバルとタケノコの煮付け、タコと大根の煮物、手作りの和風ドレッシングをかけた大盛りのサラダ、それにご飯や味噌汁《みそしる》など。和食中心の献立《こんだて》だ。

朝夕の食事を用意してくれる祖父は、味にうるさく料理が上手い。

大根と三つ葉の味噌汁を一口味わうと、いつも通りの上品な味付けだった。味噌のやさしい味わいが、何とも言えず美味《うま》かった。

「あれ？　じいちゃん、漬け物なんか漬けたっけ？」

「珍しいね。昔、おばあちゃんはよく作っていたけど」

隅《すみ》の皿に、タクアンやぬか漬けが綺麗《きれい》に並んでいた。

兄と妹でそろって箸《はし》をのばし、試してみる。なかなかの味だった。

商店街のスーパーで買った惣菜《そうざい》ではなく、おそらく手作りのはずだ。漬け物は祖父のレパートリーにはなかったはずなのだが。

「ああ、それは酒屋の桜庭《さくらば》さんからお裾分《すそわ》けしていただいたんだ。美味《うま》いだろう？」

あっさりと祖父は言ってのける。

が、それを聞いて護堂と静花は、思わず目配《めくば》せし合った。これはつまり、明日から壮絶な修羅場《しゅらば》が始まることを意味する。

祖母が亡くなってから、早数年。

いつのまにか、祖父と親しくしたい商店街のご婦人たちは、競ってお裾分《すそわ》けをしてくれるようになっていた。

いずれも、ちゃんと家庭を持つ主婦や老婦人たちである。

桜庭のおばさんが漬け物を届けたと聞けば、煎餅屋《せんべいや》の村川《むらかわ》さんやオモチャ屋の遠藤《えんどう》さん、金物屋の山野井《やまのい》さんなどが、負けじと手料理を持参してくるだろう。

ご近所づきあいの一環としてなら、ありがたい話だ。

しかし、中には只ならぬ熱い瞳で祖父を見つめる婦人もいる。商店街の平和のためにも、祖父には各方面で自粛《じしゅく》してもらいたいところなのだが――。

まあ、今から気にしても仕方ない。

護堂も静花も気持ちを切り替えて、旺盛《おうせい》な食欲を発揮《はっき》することにした。箸と口を存分に動かし、料理の数々をたいらげるにかかる。

綺麗に食べ終えて、みんなで後かたづけをしていたときだった。

居間の隅に据《す》えられた電話機が鳴り出した。

「あ、いいよ、あたしが出るから。――はい、草薙です。どちら様でしょう？」

と、洗い物をしていた兄と祖父に言って、静花が受話器を取り上げた。

「ま、万里谷《まりや》先輩ですか？　一体どうなさったんですか、あたしの家にお電話をくださるなんて……」

どうやら静花の知り合いだったようだ。

洗い物を終えて護堂が居間に戻ってくると、まだ話は続いていた。

「は、はい。たしかにいますけど……どうして先輩がうちの兄に？　たしか、クラスちがいましたよね？　あ、いえ、そんな。気になさらないで下さい！　わ、わかりました。たしかに伝えておきます。は、はい。ご、ごきげんよう……」

ごきげんよう!?　護堂は驚いた。

兄、つまり自分のことを話題にしているのも不思議だったが、別れの挨拶ほどではない。静花は一体、どこの誰と話していたのだろう？

「……お兄ちゃん。ちょっと、そこに座りなさい」

「もう座ってるよ。何言ってんだ、静花？」

自分の前の畳を指さす妹に、護堂は異を唱えた。

すでにあぐらをかいて座っていたのだから、当然の反論だろう。

「正座しなさいって、言ってるの！　今から訊くことに、正直に答えなさいよ。――お兄ちゃん、いつの間に万里谷先輩と仲良くなったの？」

「は？」

兄を強引に正座させた静花は、意味不明な質問をぶつけてきた。

「誰だ、その人？　多分、俺の知ってる人間の名前じゃないはずなんだけどな」

「本当なの、それ？　……じゃあ話が続かなくなるから、訊問《じんもん》は後回しね」

妹よ、訊問とはあまりに物騒ではないか。

そう提言したくなる護堂だったが、取りあえず何も言わなかった。迂闊《うかつ》な発言はしない方が家庭内の平穏を保てる。

「ねえ、お兄ちゃんのいる高等部でいちばんの美人って誰か、聞いたことある？」

「さあ？　べつにそんなの、誰でもいいじゃないか。一番とか二番を競争するようなものでもないんだし」

「まあね。でも、うちの学校に限って言えば、競争するまでもなく分かり切っているの。……それが万里谷祐理《まりやゆり》さんなんだけどさ」

護堂と静花は同じ学校――私立城楠《じょうなん》学院の高等部と中等部に通っている。

どちらも同じ敷地内にあり、兄妹そろって登校することも多い。

自宅から徒歩で二〇分と、かなり近場である。

もともと護堂は普通の公立中学に通っていたのだが、ご近所の学校を受験したところ運良く合格し、この春から通学している。だから中学受験で入学した妹の方が在籍年数は長く、校内の事情に詳しかったりする。

「あたしの茶道部の先輩で、お兄ちゃんと同じ高等部の一年生。中等部の頃からすごい美人だって評判だったんだから。おまけに頭もいいの。成績は常に学年で五位以内」

そういえば、この妹は茶道部に所属しているのだ。

城楠学院の文化部は、高校生も中学生もいっしょに活動する部が多いと聞いている。

同じ部の先輩で、しかも中等部からのつきあいとなれば、なるほど静花に電話ぐらいかけてきても不思議ではない。だが、それでなぜ自分が正座させられるのか？

「で、その万里谷さんが何だって言うんだよ？」

護堂はややふてくされながら訊いた。因果《いんが》関係がまったく理解できない。

その女生徒の名前には、うっすらと聞き覚えはあった。

同じクラスの男子たちが何度か口にしていたかもしれない。たしか、どの女子がいいとか可愛いとか騒ぎ立てるバカ話の最中だったたか。

「じゃ、本題に入るね。この万里谷先輩が、急な頼みで申し訳ないんだけど、お兄ちゃんと会ってお話ししたいことがあるって。…………でさ、万里谷さんって美人で頭がいいだけじゃなくて、ものすごいお嬢様《じょうさま》なんだ」

「それ、この話に関係あるのか？」

「あるに決まってるでしょ！　お兄ちゃん、まさか万里谷さんが世間知らずなのをいいことに、言葉巧《たく》みにたぶらかしたりしてないでしょうね!?」

静花に妙な詰問をされて、護堂は反射的に怒鳴《どな》り返した。

「いま初めて名前を知った相手に、そんなことできるか！」

「じゃあ何で、お兄ちゃんに会いたいなんて電話がかかってくるのよ!?　そっちの方がおかしいじゃない！」

たしかに。ごもっともな指摘だと護堂も納得した。

「いや、そこもおかしいけどさ。俺に用があるのに、わざわざ静花に伝言を頼むのも変じゃないか？　電話なんだから、俺と直接話せば済む話だろうに」

「ああ、それは多分、気づかなかっただけかな？　筋金入《すじがねい》りのお嬢様だからね。頭のいい人ではあるんだけど、効率の良さとかに気を遣ったりしないんだ。あと、男の子と電話で話すのが恥ずかしかったのかも。――すごいよ、お別れの挨拶で『皆様、ごきげんよう』って自然に出てくるもん」

「……その万里谷って人は、どこの異次元に住んでるんだ？」

少なくとも護堂の知る限り、そんな挨拶を使いこなせる女子はいない。

まあ、エリカ辺りなら大丈夫かもしれないが。

あの少女はあれで、名門ブランデッリ家の御令嬢とやらなのだ。その気になれば、いくらでも淑女《しゅくじょ》らしく振る舞えるという特技を隠し持っている。

「異次元じゃなくて、旧華族のお家柄《いえがら》だったはず。由緒《ゆいしょ》正しい庶民《しょみん》の草薙家とは、縁もゆかりもないような……」

「ますます俺を呼び出す理由がわからないよ。人まちがいとかじゃないのか？」

聞けば聞くほど、異次元の住人に思えてくる。

イタリアで知り合った魔術師たちを除けば、護堂の交友関係はごく常識的なものなのだ。それほどのお嬢様と知り合う機会に心当たりはない。

しかし、静花は冷ややかに兄を見つめながら言った。

「どうかな？　最近のお兄ちゃんは、叩《たた》けばホコリが出てきそうなところばかりだし。さっきのエリカさんのことだってさ」

「…………だから、ただの友達だって」

「あ、そうだ。万里谷さん、最後に言ってたよ。……お兄ちゃんが最近、東京に持ち帰ってきた物を見せて欲しいって。これ、何のこと？」

この伝言で、疑問は一気に氷解した。

もちろん、ゴルゴネイオン以外の心当たりは護堂にはない。

――そうか。あの魔術師どもの同類なら、どれだけ奇天烈《きてれつ》な人間でも不思議ではない。むしろ納得できるというものだ。

地元でも厄介事に巻きこまれそうな気配を感じて、護堂は憂鬱になってきた。

# 第4章　遠方より敵来たる

## 1

地下鉄の芝《しば》公園駅を出た護堂《ごどう》は、まず近隣の地図を探した。

駅前に良くある案内板である。

昨日の電話のあと、静花《しずか》から伝言された待ち合わせ場所は初めて聞く名前の神社だった。最寄り駅と大体の道順は教えられたものの、それだけで行き着くのは難しい。

案内板を頼りに見当をつけ、護堂は歩き出した。

「何で神社なんだ？　もっとわかりやすい待ち合わせ場所があるだろうに……。大体、同じ学校の生徒なんだから、校内のどこかでいいじゃないか」

「そういえばあの人、どこかの神社で巫女《みこ》さんのバイトしてるって前に聞いたなー。もちろんお金のためじゃなくて、社会勉強のためとかで。だから神社に愛着ある……のかな？」

と、昨夜は兄妹そろって首を傾《かし》げたものである。

あげくに静花はこんなことを言い出して、護堂を焦《あせ》らせた。

「じゃあ、明日の段取りを決めておきましょうか。お兄ちゃん、いつごろ出かけるつもり？　学校から直接行っちゃう？」

「……なぜ、おまえがそんな質問をする？　予定ぐらいひとりで立てられるぞ」

「あのねェ、いくら兄とはいえガサツで無神経な男子と、あんな箱入りのお嬢様《じょうさま》をふたりきりで逢《あ》わせるわけにいかないでしょ？　あたしが付いていってあげる」

「結構だ。小学生じゃないんだから、保護者なんかいらないよ」

「……ふうん。あたしがいっしょにいたらマズイんだ？　やっぱり、万里谷《まりや》さんに変なちょっかい出すつもりじゃ――」

しきりに同行したがる静花を説き伏せるのに、ひどく苦労した。

ともあれ、護堂はひとりで待ち合わせの場所へ向かう。一度帰宅して、私服に着替えてある。例のゴルゴネイオンもショルダーバッグに入れて持参済みだ。

これはもしかすると、予想以上に危険な物品なのだろうか。

万里谷という女子が校外での面談を望んだのも、他の生徒を巻きこまないよう気遣《きづか》ったから……というのは、決して考えすぎではないと思う。

やっぱり、エリカに押しつけられたのは失敗だった。

後悔《こうかい》しながらも歩き続けた護堂は、ようやく目的地の入り口までやってきた。

やけに高い石段が、最後の難関だった。

軽く息を弾ませながら登り切り、ついに待ち合わせ場所——七雄《ななお》神社に到着した。

鳥居《とりい》をくぐり、境内《けいだい》に足を踏み入れる。

護堂を出迎えてくれたのは、巫女装束《しょうぞく》の少女だった。

「よくいらして下さいました、草薙護堂《くさなぎごどう》さま——。カンピオーネである御身をお呼び立てした無礼、お許し下さいませ」

と、巫女さんは深々と頭《こうべ》を垂《た》れた。

白衣《びゃくえ》と緋袴《ひばかま》のコントラストが目に眩《まぶ》しい。彼女が顔を上げた瞬間、なぜ静花があれだけ『すごい』と繰り返したのか、護堂にも理解できた。

「万里谷祐理《まりやゆり》と申します。昨日はいきなりお電話をおかけして、失礼いたしました」

やや淡《あわ》い色合いの、栗色《くりいろ》の長髪が揺《ゆ》れる。

万里谷祐理は、たしかに吹聴《ふいちょう》したくなるほどの美少女だった。美しいだけではなく、しっとりとした上品さと聡明《そうめい》さが顔を眺《なが》めるだけで伝わってくる。

護堂の知り合いの中で、抜きん出て綺麗《きれい》な少女はエリカ・ブランデッリである。

だが、万里谷嬢も負けず劣らずだ。

あちらが大輪の椿《つばき》だとすれば、この気品高い少女には咲き揃《そろ》う桜の可憐《かれん》さがあった。

「なあ、君も魔術師たちの仲間でいいんだよな？　ほら、ヨーロッパにいるみたいな。日本の連中と会うのは初めてだ」

「はい。……あまり十把一絡《じっぱひとから》げにくくられたくはないのですが、そのご認識に大きな誤《あやま》りはありません。私は武蔵野《むさしの》を守護する巫女のひとりとして、この社《やしろ》でお勤めをしております。ささやかですが、呪術の心得もございます」

　ということは、ここが彼女のバイト先なのか。

　護堂はうなずいてから、辺りを見回した。

「……ええと、万里谷さんはひとりだけ？　誰か、他の人はいないの？」

　できれば、誰かに同席してもらいたい。

　こんなに綺麗な娘とふたりきりというのは、草薙護堂には難易度が高すぎる。

「はい。今は私ひとりしかおりません。ですから、御身の逆鱗《げきりん》に触れるような失態がありましても、罪は私ひとりのものとなります。どうぞ、お怒《いか》りは我が身にのみ下されるよう、ご寛恕《かんじょ》を請《こ》いとうございます——」

「あの、万里谷さん？　今、変なこと言わなかった？」

「荒ぶる魔王たる御身のお怒りは、私ごときを殺めたところで収まるものではないと承知の上で申し上げます。何卒《なにとぞ》、関わりなき無辜《むこ》の民《たみ》を戯《たわむ》れに踏みつぶすような真似《まね》は、お慎《つつし》み下さいませ。慈悲《じひ》と共に寛容《かんよう》を示すお振る舞いは、王者の仁徳《じんとく》にございます。全ての咎《とが》は、どうか私ひとりにのみ帰するものとご容赦《ようしゃ》下さい」

　やたら畏《かしこ》まった口調で訴えられた。

　……これはもしかして、諫言《かんげん》というヤツか？　暴君や暗君に対して、命を賭《と》して家臣が戒《いさ》めの言葉を奏上《そうじょう》するというアレなのか？

護堂はバツの悪い思いで、祐理に返事した。

「ツッコミどころがありすぎて困るんだけど、まずひとつ。俺が君をどうするって言うんだよ？　俺はネロでも董卓《とうたく》でも織田信長《おだのぶなが》でもないぞ。誰が殺したりするか！」

「……それはつまり、命を奪うだけでは飽き足らないという意味なのでしょうか？」

美しい巫女さんは、真摯《しんし》な瞳《ひとみ》でトンチンカンなことを言った。

なぜだろう？

この娘はすごく聡明そうなのに、決定的に察《さっ》しが悪そうだ。さすがお嬢様、一般人とは思考回路が大きく異なっているのかもしれない。

「じゃなくて。いいか、俺はごく真っ当な文明人で、荒っぽいことは嫌《きら》いなんだ。その辺りを少し理解して欲しいんだけど」

「…………はい。もう覚悟《かくご》は決めております。私をお嬲《なぶ》りあそばすというのであれば、お望みのままになさいませ。すぐには楽にさせないと、おっしゃりたいのでしょう？」

「全然わかってないじゃないか！　俺に拷問《ごうもん》の趣味はない！」

ここで護堂は、少し奇妙な点に気がついた。

たとえ魔術師といえども、自分がカンピオーネであることを知る者は少ないはずだ。

数日前にローマで会った大魔術師たちも、エリカとの決闘《けっとう》で実際に権能を見るまでは、明らかに疑ってかかっていた。

「君はどうして、俺がカンピオーネだと断言できるんだ？」

「それが私の力ですので。私の目は、この世の神秘を読み解く霊眼《れいがん》なのです。……以前、草薙さまの同朋《どうほう》たるヴォバン候《こう》ともお会いしたことがございます。カンピオーネ——羅刹王《らせつおう》の化身たる方々を見誤ったりはいたしません」

静かな自信を込めて、祐理は言い切った。

そして護堂も得心《とくしん》がいった。この娘は、うわさに聞く東欧《とうおう》の大魔王と遭遇《そうぐう》した経験があるのか！

「そ、それでか。そいつの話は俺も聞いたことがある。……時代遅れの魔王気取りで、ワガママし放題の偏屈《へんくつ》じいさんなんだろ？　そういうヤツは、カンピオーネの中でも少数派のはずだぞ。いっしょにしないで欲しいんだけど」

同類のカンピオーネの知り合いが、ひとりいる。

あちらはあちらでダメ人間である。

陽気なラテン気質の紳士《しんし》に見えて、ヘラヘラ笑いながら剣で斬《き》りかかってくるような人間失格男だ。だがまあ、人当たりは抜群に良かった。

「ご謙遜《けんそん》を。あなたさまがシチリアやミラノ、ローマに下されたお怒りの激しさは私も承知しております。あれほどの破壊の数々、まさに魔王の所業です。恐ろしい方……」

「……い、いや、べつに腹いせに壊したわけじゃないんだけど。そうだ、それより万里谷さん、その話し方はやめてくれないか？　俺と同じ一年生なんだろ。タメ口でいいよ、俺もそうするからさ」

さっきから同い歳の少女にバカ丁寧《ていねい》な口の利き方をされて、護堂は落ち着かなくて仕方がなかったのだ。しかし、この提案に祐理は怪訝《けげん》そうな顔をした。

「申し訳ございません、私の口の利きように至らぬところがあったのですね。失礼をいたしました。……ところで、タメ口とは何のことでしょう？」

なんと、お嬢様の辞書には載ってない言葉だったのか。

護堂は住む世界の格差を痛感した。

「敬語はなしにしようってことだよ。俺は君のこと万里谷って呼ぶから、そっちも呼び捨てにしてくれ。草薙でも護堂でもあだ名でも、好きにしていいから」

「そんな!?　……困ります。身分だってちがいますし、男性を呼び捨てにだなんてしたことありませんし――」

恥《は》じらいながら祐理が言う。

だんだん同じ国の住人とは思えなくなってくる護堂だった。

「身分って、いつの時代の言葉だよ。俺はそんな大したヤツじゃないぞ。……まあ、慣れてないなら無理しなくていいけど、せめて、もう少し気楽に話してくれ。あと、様とか付けて呼ぶのもなしで頼む」

「はあ……。努力いたします、その、草薙――さん」

こちらの反応をうかがう祐理に、護堂はうなずいた。

同い歳の娘に『さん』付けされるのもくすぐったいが、『様』よりは百倍マシだ。

「では、草薙……さんにお願いがあります。あなたがローマから持ち帰ったという神具を、お見せいただけませんか？」

真面目な表情に戻って、祐理が訴《うった》えた。

「それは全然かまわないんだけど、何で万里谷はあのメダルのことを知ってるんだ？」

「草薙さんは、ご自分を過小評価しすぎです。カンピオーネかもしれない人物が、魔術の本場であるヨーロッパに渡るのですよ？　日本の関係者だって、あなたが何をされるのか興味を持つ──というより心配するに決まっているじゃないですか」

「心配って……もしかして、監視とか付いていたのか？」

護堂は心底驚いた。

そんな連中がいるとは、全く想定していなかったのだ。

「監視の有無まではわかりませんが、少なくとも日本の調査員がローマに派遣されたことは確かです。その結果、草薙さんがイタリアの魔術師たちから何かを託《たく》されたという情報が、私たちにもたらされたのですね」

「調査員って、誰が送り込むんだよ!?」

「もちろん、正史編纂《せいしへんさん》委員会です。……ご存じではありませんか？」

祐理が、何やら長ったらしい名称を口にした。

そういえば、前に聞いた名前かもしれない。護堂はあいまいな記憶を振り返った。

欧州のあちこちに魔術師どもが隠れ住んでいるとエリカから教えられて、呆《あき》れつつも感心していたときのことだ。

彼女は、魔術師なら日本にもいるはずだと言っていた。

ヨーロッパとちがって、政府直属の組織が監視・統括《とうかつ》しているため、一般人がその存在を知ることはほとんどないとか説明していたような。

その組織の名称が、たしか――。

「正史編纂委員会。うん、名前だけなら聞いたことあるな」

「彼らは日本の呪術師、霊力者を統制し、情報操作をする秘密組織です。文部科学省や国会図書館、他にも宮内庁や神社庁、警視庁などから識者《しきしゃ》を招いて構成されます。私のような呪力を持つ巫女や神職には、彼らに協力する義務が課せられるのです」

魔術、呪術、神々――怪力乱神の数々。

その全てが、日本では正しい史実とは認められない。

そうした社会の在り方を守るための組織。だから『正史編纂』委員会なのだろうと、エリカは語っていた。

「私が草薙さんをお呼びだてしたのは、あなたが真のカンピオーネか見極めよと委員会に指示されたからでもあります。たまたま同じ学院の生徒で、静花さんと親しかった縁もありましたし」

「万里谷たちもいろいろと大変なんだな……」

話を聞いて、護堂は同情した。

脳天気なラテンの国の魔術師たちを見慣れていたせいか、しがらみの多そうな祐理たちが気の毒に思えたのだ。せめて、この件では協力的な態度を取ろう。

そう決心して、護堂はバッグからゴルゴネイオンを取り出した。

黒曜石《こくようせき》のメダル。刻まれているのは、蛇髪の妖女を描いた肖像《しょうぞう》。——それを一目見るなり、祐理はハッと息を呑《の》んだ。

「やっぱり危ない物なのか、これ?」

「おそらくは。古い、ひどく古い神格にまつわる聖印です。蛇神、オロチの印……いえ、もっと根源的な、母なる大地と巡る螺旋《らせん》の刻印——」

目を細めながら、祐理が言う。

「これは只《ただ》の直感ですが、このメダルは北アフリカで出土した物かもしれません。エジプト、アルジェリア……その辺りのことが何となく思い浮かびます」

「思い浮かぶ? 俺の友達はゴルゴネイオンって呼んでいたんだけど、万里谷はこれのことに詳しいんじゃないのか?」

「いいえ。私は欧州やアフリカの神格については、ほとんど存じあげません。ただ霊視と霊感を頼りに、漠然《ばくぜん》と感じたことを口にしただけです」

それにしては、エリカがほのめかした内容と酷似《こくじ》したことを言う。

護堂は素直に感心した。

つまり万里谷祐理の呪力とは、並はずれて優れた直感力なのだろう。

もちろん、彼女が口から出まかせを言っている可能性もある。だが、この真摯《しんし》な瞳でおごそかに語る少女を疑いたくはなかった。

——しかし、アフリカとは意外な地名だった。

ゴルゴンもメドゥサもギリシア神話では？　いや、たしかペルセウスの救った美女アンドロメダは、エチオピアの王女。それほど筋ちがいではないのか……。

「草薙さん、ひとつ質問をさせて下さい」

つい考え込む護堂に、いきなり祐理が訊《たず》ねてきた。

「これは明らかに『まつろわぬ神』の神具です。カンピオーネであるあなたが、それに気づかないはずはありませんよね？」

「ん、まあ、そうだよなァ……。やっぱり神様がらみのヤバイ物だよなあ……」

「あなたは、この東京に禍《まが》つ神《かみ》を呼び寄せるおつもりなのですか!?　地元住民の安全を、何だとお思いですか！」

青天《せいてん》の霹靂《へきれき》。

うなずいた瞬間に、雷が落ちた。

護堂はまじまじと、祐理の気品あふれる美貌《びぼう》を見つめ直した。今まで臈長《ろうた》けた風情の淑《しと》やかさだったのに、迫力が半端《はんぱ》ではない。

とにかく凛々《りり》しいのだ。思わず首をすくめてしまった。

「そ、それは俺も心配だったんだけど、大丈夫じゃないかな？　これを欲しがるのって、あっちの女神さまらしいから。あの連中、たぶん日本の位置も国名も知らないはずだぞ」

「じゃないかな？　……で、要らぬ危険を冒《おか》さないで下さいませ。草薙さんの調査書を読んだときから気になっていました。あなたは周囲への配慮が足らなすぎです」

祐理の冷たい視線に射すくめられ、護堂はたじろいだ。

まずい。

彼女との対決は、かなり分《ぶ》が悪い。

目の前の少女との相性が最悪に近いことを、護堂は本能的に察してしまった。――これは、エリカとは全く異なるタイプの天敵だ！

祐理もそれを無意識に直感したのかもしれない。

最初に諫言したときよりも、遥《はる》かに攻撃的になってきた！

「大いなる力には、大いなる責任も伴うと申します。だというのに、草薙さんはあまりに無責任ではありませんか。こんなに曰《いわ》くありげな神具を、愛人の女性にせがまれるまま故国に持ち帰るだなんて――」

「愛人!?　だ、誰のことだよ、それ!?」

「おとぼけになられても無駄《むだ》です。この調査書にも書かれていますよ」

と、祐理は束になった書類を差し出してくる。

――エリカ・ブランデッリ。魔術結社《赤銅黒十字《しやくどうくろじゆうじ》》所属。一六歳。身長一六四センチ。スリーサイズ八六・五八・八八。草薙護堂の愛人。

詳述されている個人情報を眺めて、護堂は絶望的な気分になった。

「万里谷、これは俺についての良くないうわさを事実とまちがえて書いている。捏造《ねつぞう》だ。ガセネタなんだ。少し俺の言い分も聞いてくれないかッ？」

「ガセネタの意味は存じあげませんが、往生際が悪いですよ。魔王の力を利用して、女性を意のままにするだなんて、恥ずべき行いだとは思いませんか？」

「意のままにしてない。むしろ逆ッ。俺の方が好き勝手に弄《もてあそ》ばれてるんだ！」

「まあ、草薙さんったら女性に責任を押しつけるだなんて。ますます男性の風上《かざかみ》にも置けませんね。——嘘《うそ》に嘘を重ねるのも、いいかげんになさいませ」

いつのまにか祐理は微笑を浮かべていた。ただし、目は笑っていない。

夜叉《やしゃ》だ。護堂は確信した。

もし夜叉女《やしゃめ》が実在するとすれば、いまの祐理と同じ笑顔を浮かべるにちがいない。それほど冷酷《れいこく》で美しい、能面のような微笑だった。

言い知れぬプレッシャーにさらされ、無意識の内に護堂は後ずさる。

……そして気づいた。

軽やかな足取りでこちらへ近づいてくる、やたらと見覚えのある人物に。

待て。おまえが何で、そこにいる？

「わたしの護堂をいじめるのは、いいかげんにしてもらえるかしら。いい？　草薙護堂を愛するのも、苛《さいな》むのも、オモチャにするのも、この『紅き悪魔《ディアヴォロ・ロッソ》』にだけ許された特権なの。あなたごときが手を出していい人じゃないわ」

いるはずのない、そして聞くはずのない少女の声。

驚く護堂の視線の先には、話題の当人——エリカ・ブランデッリの姿があった。

2

赤みがかった金髪は長く美しく、どこか豪奢《ごうしゃ》な王冠めいた印象がある。

だが、それだけではここまで目立たない。

エリカを引き立てているのは、身にまとう華麗《かれい》な雰囲気なのだろう。

衆目を集めることが当然と言わんばかりの不遜《ふそん》さと、気高いまでの誇《ほこ》り高さ。両者が絶妙のバランスで釣り合う、覇気《はき》に満ちた表情が生み出すものだ。

「どうしたの、護堂？　メドゥサに見つかった侵入者みたいな顔をしているわよ」

蜜《みつ》と黄金を溶かし込んだような声でエリカが言う。

だが、耳に心地よいはずの呼びかけに、護堂はため息をついた。

「そりゃ、会うはずのない人間と出くわしたからだ。おまえな、ここは東京だぞ。ミラノじゃないんだぞ？　こんなところで油を売っている理由は何なんだよ？」

「理由？　あいかわらずバカな人ね。遠距離恋愛中の恋人が、相手の住む街にやってくるのよ。愛しい人の顔を見るために決まっているでしょう？」

ついにエリカが傍《そば》までやってきた。

黒のタンクトップの上に紅《あか》いカーデガンを羽織り、下はデニムのパンツ。

そんな格好をした金髪の少女と、古めかしい神社の境内。

似合いそうもない組み合わせのくせに、不思議と違和感がない。どんな状況でも主役になりおおせてしまう、エリカの図太さ故《ゆえ》だろうか。

「こっちへ来て、護堂。あなたがいるべき場所は、いつだってわたしの傍《そば》なんだからね」

と、エリカは護堂の腕を取り、自分の方へと引き寄せた。

「な、何をなさるのですか？　いきなり現れて、そんな破廉恥《はれんち》な……！」

「いいじゃない？　わたしと護堂の仲は知っているんでしょう？　再会した恋人たちの逢瀬《おうせ》を邪魔《じゃま》するなんて、無粋《ぶすい》な女がすることよ」

憤《いきどお》る祐理へ、悪びれもせずエリカは言い切る。

こら、誤解を招きそうなセリフを吐くな。文句を言いかけて、護堂は慄然《りつぜん》とした。能面のように微笑む祐理が、心底恐かったのだ。

「ここは我らが祀《まつ》る神のお社です。ふしだらな真似はお慎み下さいませ。——エリカさんも、もちろん草薙さんも。おわかりになりますよね？」

「あ、ああ。そういうことだからエリカ、ここは万里谷の言う通りにしよう。おまえだって、教会で悪ふざけはしないだろ？」

しかし、日本人ふたりの良識を、エリカは鼻で笑って退けた。

「悪ふざけはね。でも、神聖な場で愛する人と想いを確かめ合うのは、日本もイタリアも同じでしょ。ほら、結婚式なんかで」

「今は結婚式じゃないからッ。ふざけるのはやめてくれ！」

ちなみに、今までの会話は全て日本語である。

エリカの日本語は、文法、発音、共に完璧《かんぺき》だった。おそらく護堂がイタリア語を覚えたのと同じ理屈で、エリカたち高位魔術師は多言語を短時間で習得するのだろう。

問題は、日本語であるがゆえに、祐理も会話を理解できてしまうところにあった。

――いや。他の言葉でも同じかもしれない。

祐理の視線が怖い。見据えるだけで人を殺せそうな、氷のまなざしだ。

この眼光は、護堂の左腕に向けられている。そう、イタリア人少女が胸元のふくよかな部分をぐいぐいと押しつけている辺りに。

「草薙さん、そろそろ場所を移されてはいかがでしょう？　あなたという方のいやらしい性根は十分に理解できました。もう私の用でしたら結構ですから」

「ま、待ってくれ、万里谷。いま、こいつに言って聞かせるから」

護堂は予想外の闖入者《ちんにゅうしゃ》に顔を向けると、真剣な声音で言った。

「エリカ、いいかげんにしないと俺は怒《おこ》るからな。頼むから、真面目にやってくれ」

「ふふっ、少しはマシになったじゃない。さっきまでの捨て犬みたいな顔とは大違いよ。うん、わたしの護堂はそうでなくっちゃね」

エリカは微笑《ほほえ》んで、護堂から身を離す。

多分、こいつなりに助けに入ってくれたのだろうが、もう少し方法を選んで欲しい。ぜいたくだと承知の上で、文句を言いたい護堂であった。

「ちょうど俺と万里谷は、おまえから渡されたゴルゴネイオンの話をしていたんだ。……もしかして、日本に来たのはアレがらみの理由じゃないだろうな？」

「鋭い。A評価をあげてもいいわね。──実は、わたしよりも先に来たのを追いかけて、日本まで飛んできたのよ」

「……来たって、何が？」

訊《き》くべきではない。訊いたらまずい。

そんな予感をひしひしと感じながら、護堂は訊いた。

祐理の顔色が蒼白《そうはく》なのも気になる。まさか、巫女の霊感とやらで不吉な前兆を感じていたりするのでは……。

「もちろん『まつろわぬ神』が。護堂がローマで会った女神さまと特徴が一致するわね」

「やっぱりかよ！」

エリカが答えるのと同時に、祐理も嘆息《たんそく》していた。

予感が当たってしまい、護堂はつくづくイヤな気分になった。

「何でローマから追いかけてこれるんだよ？　俺は自分の出身地なんて話してないぞ!?」

この疑問に、エリカは肩をすくめた。

結局、神々の限界を窺《うかが》い知ることなど人間には不可能なのだ。そう感じたのだろう。

「その点に関しては、わたしたちが甘かったみたい。海を越えた程度じゃ、誤魔化《ごまか》せなかったのね。……まあ、来てしまったものは仕方ないし、撃退の方法を考えましょう」

「他人事《ひとごと》みたいに言うな。神様を連れ込んだ罪は、おまえと俺の共犯なんだからなッ」

「そ、それで降臨《こうりん》した『まつろわぬ神』は、今どこに？　名前は？　神の御名は何とおっしゃるのですか!?」

護堂に『わかってるわよ』とうなずいてから、エリカは祐理へ向き直った。

「すこし前から話を聞いてたんだけど、あなたは霊視術の使い手みたいね。ちょうどいいから、どこの神様が来たのか託宣《たくせん》してちょうだい」

「託宣？　そんなことできるのか？」

「多分ね。今ここにはゴルゴネイオンがあり、あの女神と直接出会った護堂もいる。その娘が真の霊視術師なら可能なはずよ」

対峙する神の名を知るのと知らないのでは、大きな差がつく。

その手の経験は少ない護堂だったが、神名の重要性は身をもって学んでいた。

「……ということなんだけど、もし良かったらお願いできないか？　いや、もちろん事の元凶は俺たちだし、頼めた義理じゃないってのは理解しているんだけど、この通り」

なるべく誠実そうに見えるよう念じながら、護堂は頭を下げた。

無論、下げた先には巫女装束の祐理がいる。

彼女は呆《あき》れ果てたと言わんばかりに、大きくため息をついた。

「まったく――。仕方ありませんね、やってみましょう。その石をお貸し下さい。草薙さんも、お手をお預け下さい。……あなたは以前に、到来した『まつろわぬ神』と遭遇《そうぐう》されたのですね。そのとき、どのような印象を抱かれましたか？」

右手にゴルゴネイオン、左手に護堂の掌《てのひら》を持ちながら、祐理がささやく。

目をつぶり、声も小さくひそめる。

ひどく厳粛《げんしゅく》な雰囲気に、護堂の体も自然と緊張していった。

「そうだな……夜。あの女神がどんなヤツかは知らないけど、俺は夜の神様だと感じた」

大地の女神。蛇《へび》。ゴルゴネイオン。メドゥサ。

今まで聞かされた、キーワードの数々。

だが護堂には、いずれもピンとこなかった。ローマの路傍《みちばた》で出会った女神は、おそらく夜の世界の住人ではないか。そんな気がしたのだ。

「夜……夜の瞳と、銀の髪を持つ幼き女神……いえ、幼いのではなく、その位と齢《よわい》を剝奪《はくだつ》された女神……故《ゆえ》に小さく……故にまつろわず……」

一言も教えていない女神の特徴を、祐理がつぶやいている。

これが霊視の力なのかと、護堂は感嘆《かんたん》した。まるで千里眼ではないか。

「その御名は……まつろわぬ神霊の御名は――。ええっ⁉」

不意に目を開いて、祐理が絶句した。

護堂とエリカは目配せし合った。そんなに驚くほど、すごい名前が出たのだろうか？

「視《み》えたようね。どうだった？　もしかして、あなたも知ってる女神さまだとか？」

「え、ええ……。でも、何かのまちがいだと思います。だって、この女神はゴルゴン——蛇神の敵のはずです。私のような者でさえ、知っているんですよ」

「日本の巫女でさえ知るほどのビッグネーム。……で、神の名は何？」

続けてエリカが問う。

鋭いまなざしには、少し前までの甘さはかけらもない。

「——アテナ、です。草薙さんが遭遇し、日本に到来したという女神の御名は、おそらくアテナのはずです。信じられません……」

見る者全てを石に変えた蛇髪の妖女、メドゥサ。

この女怪を討ったのは、英雄《えいゆう》ペルセウス。

彼を庇護《ひご》し、導いたのは智慧《ちえ》と戦いの女神たるアテナ。それがギリシア神話の筋書《すじが》きだったはずだが……。

厄介《やっかい》そうな神様の出現に、護堂は頭をかきむしりたくなった。

3

海神ポセイドンは、彼女の旧敵である。

少なくともギリシアの伝説では、そうなっているはずだ。

だが、だからといって海そのものを嫌《きら》ったことはない。海も大地も、彼女の奪われた本質と深く関わる、命の源なのだ。

彼女が真に嫌うのは太陽である。

輝く光、まばゆい天空の玉座こそが、フクロウの女王たる彼女を不快にさせる。

まあ、いい。不快なだけだ。耐え難《がた》いわけではない。

太陽もまた命の火。生と死の連環には不可欠な要素なのだ。この光を甘んじて受け容れることも、女王の務めだろう。

――否《いな》。

この感想は適切ではない。まだちがう。まだ彼女は『まつろわぬアテナ』ではない。まだ三《さん》位一体《みいったい》を成《な》す女王の地位を取り戻してはいない。

彼女の虚《うつ》ろな記憶にかろうじて遺《のこ》る、母の嘆《なげ》き。女王の恥辱《ちじょく》。老婆の叡智《えいち》。

栄光の残滓《ざんし》が、父――天空の王ゼウスの配下たる太陽へ反抗させているに過ぎない。

もうすぐだ。

古の《蛇》ゴルゴネイオンを取り戻せば、己《おのれ》は真のアテナとなる。

海辺の潮風を浴びながら、彼女は《蛇》の気配を探る。何処《どこ》にある？　何処で彼女を待っている？　西か。ここよりも西の地に、あの者と共にあるのか？

彼女はかすかに微笑んだ。

ゴルゴネイオンよりも、覚えのある気配の方が近いことに気づいたからだ。

やはり、《蛇》を奪っていたのはあの者か。神殺しと出会ったのも、随分《ずいぶん》と久しぶりだ。最後に彼奴《きやつ》らと立ち合ってから、数百年、下手をすると数千年も経つのではないか。

迫る仇敵《きゆうてき》の気配に、アテナの戦神たる部分が歓喜の声をあげた。


「……あ、アンナさん、ありがとうございました」

ようやく停止してくれた車の後部座席から、護堂《ごどう》はよろよろと転がり出た。

外の空気が美味《うま》い。

死の恐怖を味わった直後だから、尚更《なおさら》だ。

まさか、あの暴走超特急に再び乗る日が来ようとは。いや、数か月後にはあるかも、と覚悟はしていた。だが、数日後だとは考えてもいなかったのだ。

おそらく、今の自分はひどい顔色だろう。

後から出てきたエリカでさえ、真っ青なのだ。彼女がここまで憔悴《しようすい》するのは珍しい。

「いえ。護堂さんやエリカさまのお役に立てて、わたしも嬉《うれ》しいです」

さわやかに微笑みながら、アリアンナも運転席から降りてきた。

あれほど危険な運転をした後なのに、この涼《すず》やかさ。やはり、只者《ただもの》ではない。

――アテナの名が判明した直後。

護堂は慌《あわ》ただしく七雄神社を飛び出した。

無論、女神と逢《あ》いに行くためである。居場所はどうせエリカが摑《つか》んでいるはずだ。問いつめたら、案の定だった。

ゴルゴネイオンも持っていこうとしたら、祐《ゆ》理《り》に呼び止められた。

「アテナが探している品をわざわざ持参して、どうするおつもりですか！　それは私がお預りします。——もう、本当に仕方のない人ですね！」

祐理はぷりぷりと怒《おこ》りながら、ゴルゴネイオンを預かってくれた。

いや、たしかに彼女の言う通りだ。

そこに思い至らなかった自分の浅はかさが情けなく、同時に何だかんだと協力してくれる祐理に申し訳ない気持ちの護堂だった。

神社を出ると、エリカは携帯電話でアンナを呼び出した。

なるほど。

日本語に堪能《たんのう》な、直属の部下を伴ってくるのは当然の配慮だろう。

そこは護堂にも納得できた。納得できなかったのは、アンナ嬢《じょう》が大きな四駆《よんく》の乗用車と共に現れたことだ。

「……仕方ないじゃない。わたしだって選択の余地があれば避けて通りたかったけど、一刻も早くアテナと会うには車がいちばんだし」

護堂にだけ聞こえる声で、エリカはこっそりと言ったものだ。『紅き悪魔《ディアヴォロ・ロッソ》』の称号を持つ少女の表情は、珍しく苦渋に満ちていた。

「アンナさん、国際免許なんて持ってたのかよ……。あの運転で合格させるなんて、イタリアの教習所には問題があると思うぞ！」

「言っておくけど、あの子が免許取ったのって日本でらしいからね！」

などと、小声で責任を押しつけ合ったものである。

ともあれ、背に腹は代えられない。

古い格言の意味を嚙《か》みしめながら、護堂とエリカは後部座席に乗り込んだ。ふたりがシートベルトを締めた瞬間、何の変哲《へんてつ》もない乗用車は稲妻《いなずま》と化した。

車に乗っていたのは一時間ぐらいだろうか。

もっと短かったかもしれないが、体感時間ではその程度だった。

ちなみに、今回はＡＴ《オートマチック》車だったのだが、前回とさほどスピードの差は感じなかった。

……時速一〇〇キロに近い車が縁石に乗り上げながらコーナーを急旋回《きゅうせんかい》しても、意外と事故は起こらないのだなァと感動しながら、護堂は深呼吸した。

久しぶりにかぐ潮《しお》の匂い。

千葉の習志野《ならしの》市内という以外は、もう正確な位置もわからない海の近くだった。

「アテナの居場所は近いわね。護堂はわたしに着いてきて。アリアンナはここで待機」

小さな懐中時計《かいちゅう》を先端に取りつけた鎖《くさり》。

それを中指に巻き付け、近隣の地図の上で揺《ゆ》らしていたエリカが言った。

ダウジングの類《たぐい》らしい。

探し物をするとき、彼女がよく使う魔術だった。おそらく、七雄神社にいた護堂を探し出したのも、この術なのだろう。

「かしこまりました。おふたりとも、お気を付けて下さいね」

深々と頭を下げながら、アンナは送り出してくれた。

海沿いの道を歩き出したエリカの後に、護堂も即座に続く。

前を行く彼女の足取りに迷いはない。アテナの位置は、ほぼ把握《はあく》できているようだ。

「なあ、アンナさんの運転って、どこでもああいう感じなのか？」

アンナの姿が見えなくなってから、護堂は訊ねた。

時刻はすでに五時を過ぎている。

オレンジ色に染まった海辺の芝生《しばふ》を、ふたりきりで歩いていく。

護岸《ごがん》のためのテトラポットと防波堤《ぼうはてい》に阻まれて海には近づけないが、いい眺《なが》めだった。

「もちろん。あのね、アリアンナがすごいのは、あの運転で事故したこともなければ人に怪我《けが》させたこともないところなの。ある意味で天才よね」

「それが事実なら同感だ……。アンナさんって全然そうは見えないけど、ものすごい天然だよな？　あの自覚のなさはちょっとないぞ」

「そこがいいんじゃないの。アリアンナは気が利くし、真面目だし、働き者だし、しかも面白いんだから、まさに完璧なの。四つほど欠点があるけど、そんなのは些細《ささい》な問題よ」

気が利く云々《うんぬん》はともかく、面白いというのはいかがなものだろう？

エリカの言う『面白い』だから、常人にとっては劇薬に近い性質のはずだ。

「参考までに、四つの欠点とやらを訊《き》かせてもらおうか」

「車の運転が危険、剣と魔術の才能ゼロ、煮込み料理を作らせると子供が泣き出す味になる、たいていの仕事は器用にこなすけど三日に一度は大失敗をする――こんなところね」

それは騎士としてもメイドとしても完全に不適正な欠点ではないか。

しかし、エリカは能率や利便性よりも（自分にとっての）面白さや痛快さを偏愛《へんあい》する人間である。それを考えれば、なるほど適材適所なのかもしれない。

身のない話をしながらも、ふたりは進む。

あの銀髪の少女――『まつろわぬ女神』と再会したのは、一〇分ほど後だった。


どこで手に入れたのか、彼女は薄手のセーターとミニのスカート、黒いニーソックスなどを着込んでいた。銀髪の上には、青いニット帽まで乗せている。

潮風にそよぐ銀色の髪の輝きは、夜を照らす月明かりに似ている。

護堂を見据《みす》える漆黒《しっこく》の瞳は、深い闇夜につながっているようにも見える。

――やはり、そうだ。

この小さな女神は、護堂に『闇』を連想させてやまなかった。

「久しいな、神殺しよ。妾《わらわ》はあなたと再会できて喜ばしく思う」

少女らしい可憐《かれん》なソプラノが、古風な言い回しで告げる。

護堂は渋面《じゅうめん》を作り、無愛想《ぶあいそ》に答えた。

「俺は喜ばしくない。あんたたちは平和に暮らしている人間を巻きこんで、いらん騒ぎを引き起こすだけだからな。はっきり言って、迷惑《めいわく》だ」

「エピメテウスの申し子にしては、良識ある発言だ。あなたは珍しい神殺しだな」

かすかに目を細め、彼女は言った。

あまり好戦的には見えないが、安心できない。神々の思考や行動は人間の基準では予測できないのだ。

「まずは名乗ろうか。妾はアテナの名を所有する神である。以後、見知りおくがいい」

ついに、この名が出てしまった。

ギリシアどころか、西洋の女神でも最大級のビッグネームだ。できれば神様ちがいだと思いたかったのだが。

「東方の神殺しよ、あなたの名を聞きたい。これより古《いにしえ》の《蛇》を賭けて対決する我らなれば、互いの名を知らずに済ませるわけにもいくまい」

闇色の瞳からは、何の情感もうかがえない。

ただ淡々《たんたん》と、アテナは言葉を紡《つむ》ぐ。

「俺の方には、あんたと戦う理由はひとつもないぞ」

「あなたは古き帝都よりゴルゴネイオンを持ち去った。魔術師どもに請《こ》われての行いであろう？　《蛇》を妾《わらわ》より遠ざける者は、何者であれ妾の敵だ」

アテナは魔術師について言及《げんきゅう》しながらも、エリカの方を全く見ない。

魔術師という集団については漠然《ばくぜん》と認知しながらも、個人としての魔術師には一切関心を持っていないのだ。彼女が見据えるのはただ護堂のみであった。

「さあ聞かせてもらおうか、あなたの名を」

「……草薙護堂《くさなぎごどう》だ。それと、そっちにいるのはエリカ・ブランデッリ。あんまり人間を無視するな。神様だろうが何だろうが、すごく失礼だぞ」

エリカをちらりと見ながら、護堂は名乗った。

いくら神だからといって、目の前の人間を無視していい道理はない。まあ、女神の方はそんな礼儀など考えたこともないのだろうが……。

「草薙護堂。耳慣れぬ、異邦の男らしき名だな。覚えておこう」

案の定、アテナはもうひとつの名など聞き流している。

傍らで、エリカが少しずつ距離を取っていくのがわかる。護堂とアテナ、向き合うふたりの邪魔にならないよう、口元をわずかにほころばせながら——。

護堂の感じている女神への反骨心《はんこっしん》を見抜いたようだ。

そのまま決闘でもしてしまえと、口ほどにものを言う目でけしかけてくる。

それを無視して、護堂は改めて周囲を見回した。

全く人がいない。入場規制をしているわけでもないのに、辺りには護堂とエリカ以外、ひとりの人間も居合わせない。――アテナのせいか。

おそらく、余計な人間たちに邪魔をされたくないとでも思っているのだろう。

神の想念は、ただ願うだけで人間に影響を及ぼす。

ここにアテナがいる限り、この辺りは永久に無人のままだ。神はそこに現れるだけで、人間の行動や心を狂《くる》わせるのだ。

無論、ほとんどの神は地上を徘徊《はいかい》したりはしない。だが、ごく稀《まれ》に例外が出現する。

神を知る人々は、それを『まつろわぬ神』と呼ぶ。

「さて草薙護堂よ、重ねて問おう。ゴルゴネイオンは何処《どこ》にある？」

「あのな……俺が大人しく教えると思うのか？」

「思わぬよ。が、まずは訊いておきたい。闘神としての妾の心は草薙護堂を敵だと認め、戦えと叫んでおる。しかし、智慧《ちえ》の女神たる心は警告を発しておる」

深淵《しんえん》にも似たアテナの黒い瞳が、興味深そうに見開かれた。

これと同じ瞳を、護堂はどこかで見た記憶があった。一体どこでだ？

「あなたは奇妙な神殺しだ。我が同朋《どうほう》から奪い取った力は、まだ少ないはず。しかし、アテナをアテナたらしめる機知が、あなたを危険だと告げている。うかつに手を出せば、手痛い反撃を受けそうな……罠《わな》にも似た脅威《きょうい》を感じておるのだよ」

フクロウ。

護堂は唐突に気がついた。

アテナの瞳は、フクロウの瞳とよく似ている。

人の姿をした女神と夜行性の鳥類では、眼球の形状は全く異なる。だというのに、カンピオーネの直感は両者の相似《そうじ》を告げている。――なぜだ?

「故に、まずは問う。その返答によって対応を決めよう。妾《わらわ》はアテナ、闘争と智慧の女神である。和するも良し、争うも良し。さあ、あなたの答えは如何《いか》に?」

「できれば和を取りたいんだけどな、俺は……」

思わぬ申し出だったが、ゴルゴネイオンを差し出すわけにもいかない。

諦《あきら》めた護堂は、べつの切り口を探すことにした。

「断るよ。逆に提案するけど、ゴルゴネイオンのことは諦めて、このまま帰ってもらえないか。無益な戦いでお互いに傷つけ合うよりも、その方が賢いと思うんだけどな」

神の力は偉大なり。

神の言霊は強壮なり。

人と変わらない姿でも、その身に秘めた力は計り知れない。神と目を合わせ、言葉を交わすだけで、人間の精神は簡単に崩壊してしまう。

ただでさえ強大なアテナを、さらに強める神具など渡すわけにはいかない。

とはいえ戦いも避けたい。何とか交渉で妥協点《だきょうてん》を見出せないか。意外と理性的な女神の姿勢に、護堂は思わず話を持ちかけてしまった。

……これがいけなかった。
歩み寄るアテナに対し、つい警戒心《けいかいしん》を緩《ゆる》めてしまった。
「確かに。神々と神殺しの闘争は互いを際限なく傷つけ合う、何処までも不毛なもの。だが
な、それ以外にも解決策はある」
手をのばせば、互いの体に届く。アテナと護堂の距離は、そこまで狭まった。
「すまぬな。草薙護堂よ、あなたは神殺しにしては善良な男だ。闘士としては度《ど》し難く、王と
しては愚《おろ》かしいほどに。しかし、それは逆に未来の英雄たる者の器と言えるやもしれぬ。あな
たの行く末を見られぬのは少々残念だが——許せ」
と言うや否や、アテナは両腕を護堂の首に絡《から》める。
一体、何を？　と悩《なや》む間もなく、引き寄せられてしまった。アテナはつま先立ちになって伸
び上がり、桜色の唇を護堂の薄い唇に押しつけた。
「————!?」
いきなりのキスに護堂は絶句した。
「我が求むるはゴルゴネイオン。諦めよ、草薙護堂。あなたの息吹《いぶき》を、あなたの命を妾は強奪
する。暗き地の底、冷たき冥府《めいふ》の荒れ野へと旅立つがよい」
唇を合わせながら、アテナは言霊を吐き出す。冷たい吐息と共に、護堂の体内へと流し込ん
でいく。——しまった。
この言霊《ことだま》は『死』だ。

急速に体が冷え、命の火が燃え尽きていくのを護堂は感じた。

いや、待て。

戦いと智慧の女神が、こんな言霊をなぜ使えるんだ？

神々はデタラメな存在だが、各々が持つ属性には忠実である。炎や山と関わりを持たない神が火山を噴火《ふんか》させることはないし、水や海と無縁の神が洪水を起こすこともない。

つまりアテナは、死神の類なのか？

「トロヤの昔より、騙《だま》し討ちもいくさの作法。迂闊《うかつ》すぎなのだよ、あなたは。……ほう、妾《わらわ》の死を受けて尚《なお》、面白げな目をしておる」

膝《ひざ》をつきながらも、護堂は食い入るような目でアテナを睨《にら》みつけた。

闘争と智慧の女神。蛇に深く関わり、闇を漂わせ、死すら操る。この女神の正体についての連想と想像が、頭の中を駆《か》けめぐる。

……そういえば昔、家にある本を暇《ひま》つぶしで開いたとき、読まなかったか。

ヨーロッパではフクロウは智の象徴であり、智慧の女神ミネルヴァの使者とされた。『ミネルヴァのフクロウは黄昏《たそがれ》に飛び立つ』という言葉もある。

このミネルヴァは、ギリシア神話のアテナをローマ風に呼び変えた女神なのだ。

蛇とフクロウに関わる女神――一体、何者だ？

「賢《さか》しげな目をしておる。しぶといな、まだ意志を保つか。……惜しいものよ、意志あれど闘《たたか》う力がなくば無意味。力なき闘志がいくさ場で輝くことはないぞ」

護堂の跳ね返りを愉《たの》しむかのような、アテナの声。

……視界も薄れてきた。

駄目《だめ》だ。このままでは本当に死んでしまう。

迫る死の気配を濃厚に感じたとき、護堂はおぼろげなエリカの声を聞いた。

「エリ、エリ、レマ・サバクタニ！　主よ、何故《なにゆえ》我を見捨て給《たも》う!?」

絶望の言霊を、最強の呪文をエリカが謡《うた》い上げている。

「我が骨は悉《ことごと》く外れ、我が心は蠟《ろう》となり、身中に溶けり。御身は我を死の塵《ちり》の内に捨て給う！　狗《いぬ》どもが我を取り囲み、悪を為《な》す者の群れが我を苛《さいな》む！」

大したヤツだと護堂は感服した。

魔術師とはいえ只《ただ》の人のくせに、神を相手に戦おうとしている。

「我が力なる御方よ、我を助け給《たま》え、急ぎ給え！　剣より我が魂魄《こんぱく》を救い給え。獅子《しし》の牙《きば》より救い給え。野牛の角より救い給え！」

エリカのような賢いヤツが、勝算もないだろうに神へ戦いを挑む。

その理由はまちがいなく、自分を救うためだろう。だったら、ここで死ぬわけにはいかない。エリカの捨て身を、無駄にさせてはならない。

——我は最強にして、全ての勝利を摑む者なり。

——立ちふさがる全ての敵を打ち破らん！　あらゆる障碍《しょうがい》を打ち砕かん！

剣で斬り込むエリカと、それをあしらうアテナ。

ふたりの少女が争うさまを霞《かす》む目で見守りながら、聖句を念じる。イメージするのはウルスラグナ第八の化身『雄羊《おひつじ》』。

それを最後に、護堂は意識を失った。

# 第5章　騎士と王は剣を研ぐ

1

「我は主の御名を告げ、世界の中心にて御身を讃《たた》え、帰依《きえ》し奉《たてまつ》る！」

呪文の完成と共に、エリカの周囲に絶望の言霊《ことだま》が満ちていく。

気温が体感で二〇度近く急激に下がる。

常人の耳には届かぬ苦悶《くもん》の声、悲しみの哭《な》き声、怒《いか》りの咆哮《ほうこう》、それらが渾然一体《こんぜんいったい》となった負の想念が、冷気を呼び込んでいるのだ。

その全てが、エリカに付き従《したが》う言霊だった。

「女神アテナ、草薙護堂《くさなぎごどう》の騎士たるエリカ・ブランデッリが請《こ》います。疾《と》くこの場を去り給《たま》え。この願いを聞き届け給われぬのであれば、我が剣を以《もっ》て主を守護いたしましょう」

エリカは語気鋭く言った。

召喚《しょうかん》の魔術で呼び出した紅《あか》きバンディエラをまとい、手にしたクオレ・ディ・レオーネの切っ先を女神に向ける。

この宣告を受けて、初めてアテナは人間の少女に視線を向けた。

「ほう。プロメテウスの継子《けいし》にしてヘルメスの門下たる者よ、そなたは主のために身を捨てるのか？」

「必要とあらば。わたしは騎士。主と誇《ほこ》りのために死すのであれば、それも本望。アテナを、最古に連なる女神を敵に回すのですから、その程度の覚悟《かくご》は決めております」

やられた。

エリカは軽く舌打ちした。

護堂とカンピオーネの弱点を狙い打ちにされてしまった。

追い込まれない限りは戦いを避け、しかもお人好し。この性格をあれだけの会話で見抜くとは、予想外だった。おまけに、あのキス。

死体のように横たわる護堂を、エリカはじろりとにらみつけた。

まったく、この男は！

毎度のこととはいえ、隙《すき》が多すぎる。女に甘すぎる。そんな調子だから、たやすく唇《くちびる》を奪われたりするのだ。

本来、カンピオーネは魔術・呪詛《じゅそ》の類《たぐい》に強い耐性を持つ。

神々といえど、易々《やすやす》と術中に陥《おとしい》れることはできない。しかし、言霊を体内に直接吹き込むのであれば、話は別だ。この方法を使えば、エリカの術でもかかるのだから。

「本当に世話の焼《や》ける人なんだから。このわたしに、ここまでさせるなんて――」

愚痴《ぐち》りながらもエリカは、負の言霊を矢のようにアテナへ撃ち込んだ。

相手が並の人間であれば、これだけで即死する。

かなり強力な魔術師でも、立っていられないほど衰弱《すいじやく》する。

絶望の言霊が死の呪詛となり、相手の心臓を麻痺《まひ》させるのだ。しかし、アテナは小うるさげに首を振っただけだった。

やはり、神を相手に並の攻め方では駄目《だめ》か。

エリカはクオレ・ディ・レオーネの刀身を撫《な》で、ささやいた。

「鋼《はがね》の獅子《しし》よ、汝《なんじ》に嘆きと怒りの言霊を託す。神の子と聖霊の慟哭《どうこく》を宿し、聖なる末期の血を浴びて、ロンギヌスの聖槍を顕《あらわ》しめよ――！」

禍々《まがまが》しい力の恩恵《おんけい》を受けたクオレ・ディ・レオーネを構えて、エリカは駆《か》けた。

周囲に集《つど》う絶望の言霊が、愛剣の刀身に宿る。

アテナとの間合いを一気に詰め、斬《き》りつける。

女神はわずらわしげに、ほんの少しだけ体を揺《ゆ》らした。ただそれだけの動きで斬撃《ざんげき》をかわすのだから、腹立たしい。

しかし、エリカは剣を止めない。

顔面、側頭部、左肩、腿《もも》、脇腹《わきばら》、心臓、頸動脈《けいどうみやく》、右手首。

それらの部位を狙って、続けざまに斬り込む。

遠慮呵責《かしやく》は一切なく、疾風迅雷《しっぷうじんらい》の斬撃で攻め立てる。

アテナは剣が近づくたびに体を揺らして、避《よ》けていく。

だが、左右縦横、直線曲線を描いて襲《おそ》いかかるエリカの剣を、とうとうかわしきれなくなった。ついに右手首への斬撃を、手の甲で払いのけた。

普通なら手を切り飛ばされるところだが、女神の繊手《せんしゅ》は鋼のように刃《やいば》を弾く。

直後、アテナは自分の手を興味深げに見つめた。

「――なるほど、妾《わらわ》に刃を向けるだけのことはある」

クオレ・ディ・レオーネを払ったアテネの手の甲には、紅い線が走っていた。

線からは紅い滴《しずく》がこぼれおちていく。

それは一筋の裂傷《れっしょう》だった。

神の肉体は本来、地上の武器で傷つくことなどない。刀槍《とうそう》はおろか、銃弾《じゅうだん》、爆薬、化学兵器などでさえ、神々を傷つけるには至らない。

不朽《ふきゅう》のはずの肉体に刻まれた、真新しい傷口。

己《おのれ》の手からしたたる血の糸を、アテナは微笑と共に見つめた。

「人の手で傷つけられたのは実に久しぶりだ。前回がいつであったか思い出せぬほどに」

「聖なる神の子も悪しき魔神も諸共《もろとも》に滅ぼすロンギヌスの聖槍と同じだけの呪詛が、我が剣には宿っております。アテナといえども、これを受けて無傷ではいられますまい」

クオレ・ディ・レオーネの切っ先を惑《まど》わすように揺らしながら、エリカは言った。

隙あらば即斬り込むつもりなのだが、いいタイミングがない。

むしろアテナは、傷を受けたことでエリカに関心を持ったようで、今までのどうでもよさげな気配がなくなった。

「然《しか》り。認めよう、人の子よ。その剣は、我が身にとっても危険な物だ。あるいは、妾《わらわ》を殺めることすら可能かもしれぬ。惜《お》しいな。神殺しなどに忠義立てせねば、我が愛子《いとしご》として格別の加護《かご》を授けてやりたいところなのだが」

剣を突きつけられながらも、アテナは慈《いつく》しむようにエリカを眺《なが》めている。

可愛《かわい》らしいペットを愛《め》でるような、手塩にかけて育てた花園を愛おしむような、庇護者《ひごしゃ》のまなざしだ。

——さて、どうする？

エリカは自問した。護堂がまともならともかく、一対一で戦うのは厳しい。

何といっても、相手は戦いの女神である。

神すら斬り裂くロンギヌスの刃を駆使《くし》したとしても、エリカの剣技と魔術がどこまで通用するか——。かなり疑わしい。

かつて護堂は、魔術師ですらない身で軍神ウルスラグナに勝利した。

だが、あれはいくつかの偶然が絡《から》まり合った末の僥倖《ぎょうこう》であり、何より戦ったのが草薙護堂だったからこそ呼び込めた奇跡なのだ。あのとき、彼が神を討つ切り札としたプロメテウスの魔導書はもう存在しない。

ここは、逃げの一手が望ましい。

とどめの一撃だけは何としても防ぐ。今は、それが何より重要だった。

「聖ゲオルギウス！　御身の御名にかけて、今こそ我は竜を討《う》たん！」

高らかにエリカは謡《うた》う。

逃げると言っても、ただ背中を見せて駆《か》け去るのは彼女の流儀ではない。

撤退《てったい》するときでさえ前のめりに、華々しく、雄々《おお》しく――。それこそがエリカ・ブランデッリの、何より騎士の道なのだ。

クオレ・ディ・レオーネが形を変える。

細身の剣から、長大な槍《やり》へ。長さ二メートルの長槍へと変わる。

重く、長い槍をエリカは鮮やかに操った。

神速の突きで三連打。

アテナはどうする？　退《さ》がるか、横に避けるか、かわしながら前に出てくるか？

――退がった。

軽い身のこなしで、女神は槍の間合いから離れるべく大きく後方へ跳んだ。

エリカは華麗《かれい》に微笑《ほほえ》む。目論見《もくろみ》が上手くいくという自信を得たのだ。

退がる敵を追い込んで、攻め立てる。

それこそが、彼女の持つ突破力が最も活きる戦法だった。

「紅き十字の楔《くさび》よ、竜鱗《りゅうりん》を裂き、臓腑《ぞうふ》を抉《えぐ》れ。殉教《じゅんきょう》の騎士よ、願わくば御身の武勲《ぶくん》を我にも分かち与え給え！」

言霊と共に、エリカは槍を投げた。

本来はもっと遠方の敵に使う戦法だが、構わずに撃つ。槍は銀の彗星《すいせい》のように、アテナの心臓めがけて飛んでいった。

——長槍を投擲《とうてき》する戦法は遥《はる》かな昔、エトルリア人が好んで使った技だ。後にローマ人が受け継ぎ、中世のテンプル騎士が洗練させた妙技。それをアテナは、拳の一閃《いっせん》で叩き落とす。

しかし、砂浜に落ちるはずの槍は、尚《なお》も猛々《たけだけ》しく女神へ襲《おそ》いかかった。

「……ほう」

銀の槍から銀の獅子《しし》へ。

クオレ・ディ・レオーネは一瞬で形を変えて、投擲の勢いを殺さずに猛然《もうぜん》と躍《おど》りかかる。間近に迫る獅子の牙《きば》を眺めながら、アテナは賛嘆《さんたん》の微笑を浮かべた。

「なかなか、手の込んだ真似《まね》を——」

猛襲《もうしゅう》をかわしながら、アテナは手刀《しゅとう》を軽快に突き込む。

己の倍近い巨軀《きょく》へふくれあがったクオレ・ディ・レオーネの頭部を、胴《どう》を、肩を、次々と斬り裂き、分断していく。

アテナが真に驚嘆《きょうたん》したのは、その直後だった。

「クオレ・ディ・レオーネ！　汝《なんじ》、聖霊と聖者の加護を賜《たまわ》りし者よ。不滅の身を以《もっ》て、使命を果たせ！」

エリカは仕上げの口訣《こうけつ》を唱え、忠実な武具に指示を出した。

……分断されたクオレ・ディ・レオーネの破片はまたもふくれあがり、変形し、獅子となって起き上がる。都合、七体の獅子がアテナを取り囲む。

「ははは！　手間をかけさせてくれるな！」

鋼の獣《けもの》に囲まれながらアテナが笑ったとき、エリカは口笛を吹いた。すると、獅子の一体が身をひるがえし、駆け寄ってくる。

――ここからはもう、余計な策は要らない。

すばやく護堂の体を担《かつ》ぎ上げると、エリカは獅子の背に飛び乗った。

六体の獅子に足止めさせている間に、自分たちは逃げる。全速力で、後ろも見ずに。絶望の言霊を宿し、聖ゲオルギウスの加護で動くクオレ・ディ・レオーネの一群は、アテナといえども秒殺は不可能――なはずだ。

追撃がないことをひたすら祈りながら、エリカは獅子を走らせた。

彼女の前では、獅子の背にもたれて護堂が眠っている。そう、まだ死んではいないはずだ。

どんなに不利な戦いでも勝算を作ってしまうこの男が、潔《いさぎよ》く死ぬわけがない。

護堂の胸に手を当て、体温と鼓動《こどう》を確かめてみる。

期待通りの感触を得て、エリカは快心の笑みを浮かべた。

2

死にかけるというのは、あまりいい気分がしないものだ。

まだはっきりと回復していない意識で、護堂《ごどう》はぼんやりと考えた。

第八の化身『雄羊《おひつじ》』になったときの力は、奇跡的な快復力。どんな瀕死《ひんし》の状態からでも復活を遂《と》げる、極めつけにとんでもない特殊《とくしゅ》能力だった。

ウルスラグナは勝利の神だが、同時に王権《おうけん》の守護神でもある。

一〇の化身の中でも『雄羊』は特に深く王権と関わる。牧畜《ぼくちく》がそのまま財力に直結した古代では、短期間で成長し、繁殖《はんしょく》力も強い羊は、生命力と富の現れだったのだ。

豊穣《ほうじょう》、多産、富貴。

それらの象徴たる羊に相応《ふさわ》しい、命の恵みとも言える能力であった。

だけど、即死したら意味がないんだよな……とも考えてしまう。これで甦《よみがえ》るたび肝《きも》を冷やすのだが、死ぬ寸前、自分の意志で行使しなくてはならないのだ。

おまけに、瀕死でなくては使えない。

身をもって思い知ったが、ただの重傷ではダメだった。

もちろん、そんな制限を差し引いても驚くべき、そして恐るべき能力なのだが——。

カンピオーネは殺害した神々の能力を簒奪《さんだつ》する。

その奪った力を『権能《けんのう》』という。

つまり、倒した神の数に応じて、カンピオーネは力を増すのである。

護堂はまだウルスラグナ一柱《ひとはしら》しか倒していない。だが、カンピオーネの多くは、こんな権能をいくつも所有する怪物なのだという。

――神々と戦うために化生《けしょう》した、人類を代表する戦士《チャンピオン》。

それこそがカンピオーネの本質なのだと言ったのは、エリカだっただろうか。戦士であり、王であり、怪物であり、人である、埒外《らちがい》の存在。

カンピオーネを生むのは才能ではない。努力でもない。血筋でも運命でもない。

ただ勝利のみ。

天賦《てんぶ》の才を持つ者でも、地上で最も鍛練《たんれん》を積んだ者でも、神に勝利しなくてはカンピオーネたり得ない。何だよ、それはと護堂は思う。

自分がウルスラグナに勝てたのは、偶然と幸運の恩恵《おんけい》だろう。

普通の人間はもとより、全く普通ではない天才や達人でも、絶対に神には敵わない。力の差がありすぎる。いや、もともとが競い合うような関係ではないのだ。

奇跡のような偶然《ぐうぜん》がいくつも積み重なって、初めて人は神に勝利できる。

そんな理不尽の果てにカンピオーネは生まれ、人の身には過ぎた権能を獲得してしまう。

……これはよくないと、自分でも思うのだ。

神々か、同類のカンピオーネでなければ対抗《たいこう》し得ない、ケタ外れの力。

そんなものが運頼みで与えられて、いいわけがない。人間が所有するには分不相応《ぶんふそうおう》すぎる能力なのだ。だからせめて、軽率には使うまいと心がけているのだが――。

徐々に自分は、ウルスラグナの権能を掌握《しょうあく》しつつある。

初めて『雄羊』を使ったとき、昏倒《こんとう》してから復活するまで六時間かかった。二度目は四時間。以後も、徐々に時間は縮まりつつある。

今度はどれくらいかかるだろう？

この化身になると、能力の掌握度が数字で把握《はあく》できてしまう。死にかけるのがイヤなのはもちろんだが、そこも使いたくない理由のひとつだった。


意識が鮮明になってくる。

気づけば、護堂は固い寝床《ねどこ》に横たわっていた。

枕《まくら》でもあるのか、なぜか頭の下だけがやわらかく、あたたかい。

「気分はどう？　もう起きられる？」

そっと耳元で、エリカの声がささやく。

今までいつもそうだったように、今回も死にかけた自分の傍《そば》にいてくれたのだろう。

「……ここはどこだ？　あと、今度は何時間寝てた？」

「どうにか逃げ延びた先の、公園のベンチ。で、今回は二時間半ぐらい寝てたわね。おめでとう、またタイム更新よ」

「こんなの更新したって、うれしくないよ。増えたっていいぐらいなのに」

「そう言うと思った。まあ、だんだん数字の縮まり具合は控《ひか》えめになってきたから、これ以上は短縮されないんじゃない？　――安心した？」

軽く笑みを含んだ声で、エリカは言ってくれた。

何だかんだと護堂を振り回す彼女だが、不思議と弱っているときには優しくしてくれる。

「気休め程度にはなる、かな」

まだ完全に目覚めていないのか、視界がぼんやりとしている。周囲がよく見えない。

ただ、エリカがすぐ傍《そば》にいることだけは疑わなかった。

「……できれば、俺じゃないヤツに神様を倒して欲しかったよ。こうして死ぬはずの命を拾えるんだから、ぜいたくだってのは自覚してるけどさ」

「それは無理よ。運が良ければ勝てるってものでもないし。――もちろん、運に恵まれることは絶対条件だけど、最後は戦う人間のしぶとさと勝負強さが問われるわけだし。あなたは勝つべくして神に勝った人よ。自分の力を、もっと誇りに思いなさい」

エリカの手のひらが、やさしく動く。

手櫛《てぐし》で、護堂の髪を丹念に梳《と》かしつけている。ゆっくりとした、リズミカルな動きが気持ちいい。……いや待て。手櫛とは何だ？

「今はまだ限られた力しか持たなくても、いずれあなたはウルスラグナの権能を完全に掌握するわ。あなたはあらゆる障碍《しょうがい》を打ち破り、勝利を奪い取る人だもの。護堂が真の王者になるまで、わたしが必ず守ってみせる。どんな敵にも殺させないし、渡さないんだから」

いつもの軽い調子ではなく、決意を込めた静かなつぶやき。

それはうれしい。

正直、自分などにはもったいなくて、詫《わ》びを入れたくなる。だが、しかし。

「……あ、ありがとう。エリカには迷惑《めいわく》かけてばかりで感謝してるし、悪いとも思ってるんだけど——」

「わたしに謝らないで。わたしは好きで護堂に尽くしているんだから。代わりに、あなたがわたしを愛してくれさえすれば、それでいい。ね、かんたんなことでしょ？」

「いや、話の腰《こし》を折って、ほんとに申し訳ない！　でも、この体勢はまずいと思うんだ！」

ようやく正気に戻った護堂は、今さらながら状況に気づいた。

体に異状はない。完全に五体満足。

自分が寝かされているのは、小さな公園の、薄汚れたベンチである。すぐ傍にはエリカが座っており、自分の頭は彼女の膝《ひざ》に乗せられ、手櫛などされていて——。

「ダメダメ。死にかけたばかりなんだから、大人しくしていなさい」

飛び起きようとした護堂の上体を、彼女は怪力で押さえ込んだ。

エリカの足は子鹿《こじか》のように細く、華奢《きゃしゃ》だ。そのくせ太ももは十分に肉づきがよく、ひどくやわらかな感触なのだ。

この状況はまずい。

何とも言えず落ち着くのが、とにかくまずい。

護堂はベンチから転げ落ちるようにして、どうにか拘束を振りほどいた。

「あのね護堂、せっかくの気遣《きづか》いをそんな風に拒《こば》むのって、すごく失礼じゃない？　しかも、わたしは命の恩人なのよ？」

と責めるくせに、エリカは愉《たの》しそうだった。

彼女の顔をまともに見ることができない。護堂は恥《は》ずかしさのあまり、この場から逃げ出したくなった。

「そ、それについては本当に助かった。すまない。ありがたい。でもな、今みたいなのはよくないだろ、いろいろな意味で！」

「どうして？　あんなのただの初歩でしょ？　そろそろ初級編は卒業して、応用編に進みましょうよ。わたしたち、ふたりで愛を育《はぐく》む時間をもっと増やすべきだわ」

無茶なことを言う。

草薙護堂《くさなぎごどう》にそんな甲斐性《かいしょう》があるわけないだろうに！

「ま、それはともかく、今後の方針を決めましょうか。護堂はアテナのこと、どうするつもりなの？　この期《ご》に及《およ》んで、のんきに話し合おうとは考えていないんでしょう？」

武士の情けか、エリカが話題を変えてくれた。

ようやく普通に話ができる。ほっとしながら、護堂は返事した。

「それはまあ、そうだけど。まずはアテナを探す。その後のことは現場の判断……だな」

「つまり勢いにまかせて急襲《きゅうしゅう》して、なし崩しで決闘《けっとう》に持ち込む、と」

護堂の発言を、エリカがとんでもない超訳《ちょうやく》で言い換えた。

「何でそうなる？　俺がいつ、そんな風に言ったよ？」

「だって、毎回そうなるじゃない。それを踏まえて提案するけど、そろそろ『剣』の準備をするべきよ。アテナ相手に何の備えもなしじゃ限界があるってわかったでしょう？」

「……まあなァ。やっぱり、最悪の事態に備える必要はあるよなあ」

護堂は考え込んだ。

アテナを取り逃がした以上、いつゴルゴネイオンを奪われてもおかしくないのだ。先刻よりも強大化した女神と対峙《たいじ》するなら、万全の備えをするべきだろう。

こちらに十分な力がなければ、きっと交渉にさえ持ち込めない。エリカの指摘《してき》は正しい。

「じゃあ、わたしに頼み事があるんじゃないの？　ほら、早く言えば？」

エリカが澄《す》まし顔で、勝ち誇るように言う。

こいつは全部承知のくせに、敢《あ》えて護堂の口から懇願《こんがん》させるつもりなのだ。つくづく意地の悪い女だった。

「……わかったよ。前に言ったことを撤回《てっかい》する。アテナについて知ってることを全部教えてくれ。あの女神さまと戦う準備をしておきたいんだ」

この相棒《あいぼう》の手助けがなければ、草薙護堂はアテナとまともに勝負できない。

諦《あきら》めと共に、エリカを拝み倒す。

「よく言えました。なら、わたしの答えは決まっているわ」

エリカはベンチから降り、護堂の足元にひざまずいた。

うれしそうに微笑みながら、恭《うやうや》しく言う。

「お望みのままに、我が君。あなたは我が剣の主であり、我ら魔術師の王たる御方。御身の仰《おお》せとあらば、よろこんで勝利の鍵を捧《ささ》げましょう」

エリカはときどき、こんな畏《かしこ》まった物言いをする。

居心地の悪さを感じながら、護堂は彼女を引き起こした。

「そういうのはやめろって。……俺は、いつも通りのエリカがいいよ」

「そう？　じゃ、いつも通りにしましょうか。ほら護堂、ここに座って。早速始めましょう」

いきなりエリカに押しやられ、さっきのベンチに座らされた。

危険の兆候《ちょうこう》を察知し、護堂は焦《あせ》った。

まさか、あれをやる気か!?

「教えてくれと言ったのは、普通に言葉でという意味でだぞ。変な魔術とか、儀式とかは抜きでやって欲しい！」

「全部教えるのに何時間かかると思ってるの？　アテナは最古の女神の直系なんだから、歴史も神話の数も半端《はんぱ》じゃないの。めんどくさいからイヤ」

言いながらエリカは、護堂にすり寄ってくる。

すばやく唇で唇をふさがれたため、それ以上の反論はできなかった。

……長くキスを続けたあとで、エリカはほんの少しだけ唇を離してつぶやく。

「ふふっ。最近、冷たくされてばかりだったから、すごく楽しい。護堂ったら、わたしには冷たいくせに、変な女とコソコソ会っていたり、アテナにキスされたりして。結構、怒《おこ》ってたんだからね」

怒ってると言うくせに、おそろしく甘いささやきだった。

額《ひたい》と額がくっつき合うほど、顔の距離が近い。

「こ、コソコソなんかしてない。アテナにああされたのも不可抗力《ふかこうりよく》だと思う。それよりな、こういう行為《こうい》はやっぱり良くないと思うんだ。もっと健全に、高校生らしく！」

「愛する人と唇を交わす以上に健全な行為なんてないわ。大体、わたしの初めてのキスを奪ったのも護堂だし、その後だって何度もしてるでしょう？　今さら気にしなくてもいいわよ」

「全部、神様と戦うためにやったことじゃないか！　そういう色っぽい話じゃ――」

言いかけたところで、また唇をふさがれた。

おまけに舌まで入れられた。

――そ、そこまでする必要ないんじゃないか!?

訊《き》きたくとも訊けない状況が恨《うら》めしい。こんなことをされて煩悩《ぼんのう》を刺激されない高校生男子がいれば、よほどの変態的嗜好《しこう》の持ち主だけだろう。

この甘い罠から逃《のが》れようと、護堂は必死で身をよじった。

だが、振りほどけない。

腕力に差がありすぎるせいだ。この女は、何でこんなに怪力なんだ!?

「まずアテナの誕生から教えましょう。アテナの母とは何者だったのか、アテナとメドゥサの関係がいかなるものかを」

護堂の唇をついばむようにしてキスを繰り返しながら、エリカがささやく。

「ギリシア神話では、アテナの母はメティスとしているわ。ゼウスの最初の妻とされる智慧《ちえ》の女神。でも、この夫婦の結婚は幸せなものではなかったはずよ。メティスは蠅《はえ》に化けたゼウスに強姦《ごうかん》された結果、アテナを身ごもったという話もあるしね」

蛇《へび》。

自らの尾に喰《く》らいつき、円環を成《な》す蛇の姿が思い浮かぶ。そして雌牛《めうし》。さらに翼——鳥のイメージが伝わってくる。

「ゼウスにとってメティスは陵 辱《りょうじょく》の対象でしかなかったでしょうね。彼女を妻としたのは、ゼウスの非道を隠すために神話を書き換えた結果よ。メティスの懐妊《かいにん》を知ったガイアとウラノスは予言するの。生まれる子が男児であれば、ゼウスを超える神になるだろうと」

カンピオーネは魔術に対して、強い耐性を持つ。

これは、敵対的な術だけでなく、害のない友好的な魔術に対しても同様だった。

味方がかけてくれた魔術も、カンピオーネの心身は弾き飛ばしてしまうのだ。だがアテナがしたように、魔術を体内へ直接吹き込むのであれば、話は別だ。

エリカが今かけているのは、己の知識を伝える《教授》の魔術だった。

アテナにまつわる知識。

かの女神が持つ歴史と性質を詳細に、そして即席で教えるために。

「子の誕生を恐《おそ》れたゼウスはメティスを頭から呑《の》み込んで、その存在を葬《ほうむ》るわ。そして、智慧の女神である彼女の叡智《えいち》まで我がものとする。でも、すでにメティスが身ごもっていたアテナは、父なるゼウスの頭から誕生してしまうの」

唇から注ぎ込まれるエリカの言霊《ことだま》が、おそろしい量の情報を護堂に伝えていく。

ウルスラグナ第一〇の化身『戦士』は、輝《かがや》く黄金の剣を持つという。

これは、その剣を鍛《きた》えるために不可欠な工程だった。

敵とする神についての知識を十分に得たとき、草薙護堂は初めて『戦士』の化身となれるのだ。

「つまり、アテナは母メティスの消滅と同時に誕生した女神なの。これはとても重要よ。――ギリシア語でいう Metis の意味は『叡智』。Medusa の語源となった言葉でもあるわ」

Metis と Medusa。

この二つは同じ意味を持つ言葉だ。そしてアテナと深く関わる女神の名でもある。

メティス、メドゥサ、アテナの成す三位一体《さんみいったい》。

その意味を護堂は唐突《とうとつ》に理解した。

唇と舌、甘い吐息《といき》と唾液《だえき》を通して伝わるエリカの知識が、アテナという女神の正体を次々と解き明かしていくおかげだった。

護堂の舌を探す、エリカの舌の動きがなまめかしい。

突き抜けるような心地よさと膨大《ぼうだい》な情報が、頭の中を駆けめぐる。

——もう、このまま身をまかせてしまおうか。

目眩《めまい》すら起こしそうな高揚感《こうようかん》に、護堂はだんだん流されそうになってきた。

それを見透《みす》かしたのか、エリカはくすりと微笑んだ。

「どう？　何なら中止して、普通に講義してもいいけど——わたしはこっちの方がいいな。護堂はどっちがいい？　このまま続けるか、つまらないやり方に変えるか……」

いつのまにか唇が離れ、拘束《こうそく》する力が弱まっていた。

わざとエリカが腕を緩《ゆる》めたのだ。

無論、いつもなら即答で中止を訴える。だが、ここまで来て、それは難しい。いやでも、これはやっぱり問題のある行為であって——。

悶々《もんもん》と悩む護堂の表情を、エリカが愉しそうに眺めている。

この悪魔の笑顔が、ひどく色っぽい。抗《あらが》いがたい。……ついに反抗心も薄れ、体から力を抜こうとしかけた——その寸前。

護堂は気づいてしまった。

視界の隅《すみ》に、頬《ほお》を赤らめ、異様に舞い上がった様子の女性がいることに。

「アンナさん？　も、もしかしてアンナさん、ずっと見てた——とか？」

「……そういえば。アリアンナ、いつのまに戻ってきてたの？」

護堂とエリカは、同時に同じ方向へ目を向けた。

その先にある細い街灯《がいとう》に隠《かく》れるようにして、アンナがこちらをうかがっていた。もちろん彼女の全身が隠れ切るわけもなく、興味津々《しんしん》の体《てい》なのが丸わかりだった。

「あ、ええと、先に断っておきますと、のぞきではありませんよっ。何て言いますか、若いおふたりがあらぬ方向へ暴走しないか心配だったので、つい見守ってしまいました！　あ、甘々の膝枕なんかで微笑ましいなーって思ってたら、あんなに熱烈に！　わたし、すごくドキドキしてしまいました……」

顔を真っ赤にしながら、アンナが言い訳を口走っている。

護堂は目の前が真っ暗になった。

まさか彼女は、全てを見届けていたのか？　自分の醜態《しゅうたい》を全て、余すところなく、完膚《かんぷ》無きまでに!?

「なあ、一体いつアンナさんと合流したんだ……？」

「護堂が眠っている間。アテナから逃げ延びたあとで連絡を取って、この公園で落ち合ったの。護堂が目を覚ましたときは、買い物に行かせてたから姿が見えなかったのね」

なるほど、見ればアンナはコーヒーや紅茶の缶らしきものを抱えている。

迂闊《うかつ》だった。

よく考えれば、三人目がいることぐらい想定できたはずなのに、自分ときたら——。護堂は穴を掘って、その中に隠れたくなった。

「え、ええと、おふたりとも宜《よろ》しければ、続きをなされてはいかがでしょう？　わたしなら大丈夫です。いないものと思っていただいて――」

「そうね。アリアンナもああ言ってくれたことだし、早速――」

「早速じゃない！　続きもしない！　……東京に戻りますから、アンナさんは運転をお願いします。……エリカ、続きは車の中で普通に教えてくれ」

悄然《しょうぜん》とうなだれつつ、護堂は指示を出した。

こんな調子でアテナを追い払えるのか、ひどく不安になってしまった。

3

夜。

闇《やみ》と月と星々が天を覆《おお》う夜。女神アテナがこよなく愛する時間だ。

しかし、今の世の夜は明るい。

人間たちの生み出した数々の光が街を埋め尽くし、天を見上げても星々の光は弱く、ほとんどが地上まで届かない。

人は闇を忌《い》み嫌《きら》う。今に始まった話ではない。

偽《いつわ》りの光であふれかえる街中を、アテナは悠然《ゆうぜん》と歩いていく。

その歩みはゆったりとしたものだが、その実、人間ではありえないほど速い。

彼女が目指すのは、懐かしいゴルゴネイオンの気配。

海沿いの路《みち》を、アテナは進み続ける。

徐々に蛇の気配が強まってきた。

復活の時は近い。アテナの頬は自然とゆるみ、唇が微笑の形を作る。

道中、すれちがった人々が惚《ほう》けたような目つきで自分を見つめるようになっても、アテナは気にしない。

人々が神を注視する。当然のことだ。

人々が神を崇《あが》め、帰依《きえ》する。当然のことだ。

人々が神にすがり、格別の加護《かご》を願う。当然のことだ。

人々が地上を往《ゆ》く『まつろわぬ神』と邂逅《かいこう》し、正気を失う。狂気に陥《おちい》る。錯乱《さくらん》する。狂乱する。全て、当然のことだ。

わざわざ立ち止まり、気にかけるほどのものではない。

ここに草薙護堂《くさなぎごどう》がいれば、互いの存在をかけた決戦にもなろうが、その不安もない。

——さて、彼奴《きやつ》はあの後どうなったものか？

ふとアテナは、先刻の一幕を思い出した。死の言霊で打ち倒したが、あのまま大人しく死んでくれただろうか。

不可能を乗り越え、神すら殺めた人間の行き着く先が神殺し。

魔王、ラークシャサ、デイモン、堕天使《だてんし》、混沌王《アナーク》、カンピオーネ。

数多ある魔神の呼び名を冠されてきた神殺しの一員なれば、あるいは死すら克服《こくふく》して甦《よみがえ》るやもしれぬ。

それもまた良し。

その折りには、今度こそ武勇《ぶゆう》を以《もっ》て打ち砕く。いずれにしても、神殺しを警戒《けいかい》する必要はもうないだろう。

——少し、遊んでみるか。

興を覚えたアテナは、今まで注意深く隠していた本質を解き放った。

ここは居心地が悪すぎる。

人の手で作り上げられた世界は、彼女にとっては不自然すぎるのだ。

アテナは夜の街を、悠々《ゆうゆう》たる足取りで通り抜けていく。

彼女が一歩進むたびに、彼女が息を吐くごとに、街から灯りがひとつずつ消えた。

まず夜道を照らす街灯が、光を失った。

それから人家、オフィス、雑居ビル、商店、飲み屋、ネオン、自動車のヘッドライト、果ては懐中電灯や、ちっぽけな豆電球に至るまで——。

ありとあらゆる人工の光が消失していく。

偽りの陽光が消え失せ、代わりに街を満たすのは真なる闇。

たった数メートル先にあるものさえ見通せなくなる、夜の深淵《しんえん》。

闇の席捲《せっけん》が始まると、車道を走る自動車やバイクは徐々に失速していき、程なく一センチたりとも進まなくなった。前を照らすはずのライトも、全て光を失っている。

愛車の異常に気づいた人々は、困惑《こんわく》しながら車道へまろび出た。

道を行く人々は、本能がもたらす怯《おび》えに苛《さいな》まれながら闇を見つめ、天を見上げた。

運良く出先から帰り着いた人々は、一切の明かりを失った我が家に悄然《しょうぜん》とした。

何処《どこ》かの軒先《のきさき》に身を寄せた人々は、回復しそうにない照明を恋《こ》い、不安に打ちふるえた。

——闇への恐怖。

——光を恋う強き想い。

——朝を待つ人間どもの不安と怯え、諦めと無気力。

これぞ正しき夜の在り様。

人々の想念を感じ取り、アテナは満足した。興にまかせて言霊を口ずさむ。

「アテナの真名において命ずる。闇よ来たれ、陽《ひ》の恵みを追い散らせ。プロメテウスの火をかき消すがいい。天の星々と黒き風よ、古《いにしえ》の夜を顕《あら》わしめよ」

謡《うた》いながら、アテナは歩む。

闇のとばりを拡げた以上、望みはゴルゴネイオンのみ。そう、まだ足りないのだ。

まつろわぬアテナは、大地と闇に属する者。

深き闇、一片の光すら差さぬ夜の世界は甦った。あと必要なのは、むせかえるような土の匂い。豊穣《ほうじょう》の命。

「我が求むるはゴルゴネイオン！　今宵《こよい》アテナは、古の《蛇》を奪還せん！」

アテナの謡《うた》う言霊《ことだま》が響くたび、虚空《こくう》より鳥の姿が湧《わ》き出してくる。

夜をものともせずに羽ばたく鳥は、フクロウであった。

数十羽のフクロウが飛翔《ひしょう》するなか、アテナはひたひたと歩み続ける。ただひたすら、ゴルゴネイオンの気配を辿《たど》って――。


都市としての機能を完全に麻痺《まひ》させる異常事態。

大も小も問わず、全ての照明が失われた。

あらゆる車両が動かなくなり、電車の運行もストップされた。

時刻は夜の九時をすこし過ぎている。

人通りは昼間より少ないとはいえ、仕事帰りの人々や地元住民の姿はそれなりにある。

こんな形で足止めされて、ある者は怒《いか》り、ある者は不安そうに周囲の様子をうかがっている。恐慌《きょうこう》を来《きた》している者もいる。

怒り、動顛《どうてん》、狼狽《ろうばい》、混乱、困惑《こんわく》――。

闇に閉ざされてはいても、周囲に集まった人々の惨状《さんじょう》は冷静ささえ保っていれば、容易に把握《はあく》できた。

「……とんでもない事態になってきましたな。風雲、急を告げるというヤツですかね」

「甘粕《あまかす》さん、そのおっしゃりようは少し不謹慎《ふきんしん》です。もっと真面目になさって下さい」

完全に動きを止めた自動車。

その運転席に座る青年のつぶやきを、万里谷祐理《まりやゆり》は助手席から咎《とが》めた。

まだ数時間ほどのつきあいだが、わかったことがある。この甘粕冬馬《とうま》という正史編纂《せいしへんさん》委員、あまり謹直《きんちょく》な性格ではない。

「ああ、すいません。ですが、真面目にしても気楽にしても、私ら程度に解決できる事態じゃありませんからねェ。だったら悩むだけ損《そん》じゃありませんか」

「心構えの問題ですっ。まったく……甘粕さんといい草薙さんといい、いいかげんな男性が多すぎて困ります！」

愚痴《ぐち》りながらも、祐理は外の様子をうかがう。

――『まつろわぬ神』らしき超自然の者を、浦安《うらやす》・葛西《かさい》の近辺で発見。

その報《しらせ》を七雄《なお》神社に甘粕が持ってきたのは二〇分ほど前。

現地調査を依頼されて、彼の運転する車で祐理は芝《しば》公園から月島《つきしま》まで移動してきた。

変化は突然だった。

甘粕の乗用車は急にスピードを落とし、徒歩と変わらない程度の速度になったのだ。完全に停車してしまうまで、二分とかからなかった。

気づけば自動車のライトも消え、街全体から明かりが消えていた。

車道には、走行不能になった大量の車がひしめき合っている。渋滞《じゅうたい》とちがうのは、どれだけ待っても一ミリだに進まないところだ。

多くのドライバーが愛車を出て、落ち着かない様子で街を見回していた。

「祐理さん、車を捨てましょう。ここでじっとしていても埒《らち》があかない」

「いいのですか、置いていったりして？　こんなところに放置したら、どなたかの迷惑になるんじゃ……」

「気にしても仕方ありませんよ、こんな状況じゃ。さ、早く早く」

先に外へ出た甘粕にせかされて、祐理も降車した。

ふたりで歩道へ向かう。

見渡す限り、暗闇が続いていた。

光と呼べるものは、おぼろに輝く中空の半月と、薄暗い星座の燦《きら》めきのみ。

「闇の領域……。降臨《こうりん》しているのは闇の神格《しんかく》を持つ『まつろわぬ神』ですね。しかも、順調に勢力範囲を拡大中。参ったな、これは」

隣で甘粕がぼやいている。

聞いていたよりも遥かに早く、神の影響下に入ってしまった。

これほど広範囲に、しかも強力な変化を発生させるとは、さすがはアテナ——ギリシア神話で最も高名な女神である。

しかし、なぜアテナが闇を広げるのか？　そこが祐理にはわからない。

——ゾクリ、と。

不意に祐理は、強烈な悪寒《おかん》を感じた。

否、これは悪寒ではない。迫る神の気配を、媛巫女《ひめみこ》の霊感が感じ取ったのだ。

彼女は七雄神社に置いてきた黒曜石《こくようせき》のメダル――ゴルゴネイオンのことを思い出した。

この、何かを探るような偉大な意志の波動。

まちがいなく『まつろわぬ神』が、神具を求めて近づいてきている。

祐理は戦慄《せんりつ》した。

これは危ない。羽虫が誘蛾灯《ゆうがとう》に引き寄せられるように、いずれアテナもゴルゴネイオンの許に到来するだろう。その未来がたやすく予測できる。

「甘粕さん、まずはここを離れましょう。闇の領域を出て、七雄のお社《やしろ》に戻ります。さきほど、お話しした神具――ゴルゴネイオンを守らなくてはいけません」

「ああ、例のメドゥサの似姿《にすがた》とやらですか。了解です。――でも、なかなか盛り上がってきましたねェ。あとは祐理さんも認めた真の魔王、草薙護堂氏が登場すれば、役者も出そろうというものです」

「ですから、そういうところが不謹慎だというんです！」

頼るべき光のない暗闇の中を、ふたりは進む。

夜目でも利くのか、先を行く甘粕の足取りには迷いも逡巡《しゅんじゅん》もない。

その背中を唯一の道しるべにして、祐理は足元を気遣《きづか》いながら歩いた。ときどき、何もないところで転びそうになる。

街から明かりがなくなるだけで、ここまで不便になるとは——。
無明の闇がもたらす圧力はどこまでも重く、何よりも恐ろしかった。

# 第6章　闇深く、風は渦巻く

1

祐理《ゆり》と甘粕《あまかす》は、十数分ほどで闇《やみ》の世界を抜け出した。

間近に迫る異状にも気づいていなかったタクシーを拾えた幸運もあり、どうにか芝《しば》公園の七《なな》雄《お》神社まで戻ってくることができた。

この神社の敷地内には、平屋造りの社務所《しゃむしょ》がある。

取りあえず祐理がゴルゴネイオンをしまったのは、ここの和室だった。彼女専用の個室としてあてがわれている部屋なので、自由に使用できるのだ。

境内《けいだい》に甘粕を待たせて、社務所へ入る。

ゴルゴネイオンと共に戻ると、連れは携帯電話に向けて現状報告らしき話をしている最中だった。相手はおそらく、同じ委員会のメンバーなのだろう。

「それが問題の神具ですか。蛇神のメダリオンとは、また厄介《やっかい》そうなブツですなあ」

三分ほどで電話を切るなり、甘粕は言った。

草薙護堂《くさなぎごどう》との面談、愛人だというイタリア人少女の出現、到来した女神アテナ——先刻の一幕はすでに報告してある。

これだけの非常事態なのに、甘粕冬馬《とうま》はどこまでもマイペースだった。

しかし、こんな男でも正史編纂《せいしへんさん》委員会のエージェントなのだ。

ある程度の呪術を修め、なにがしかの武術を身につけ、古今東西のオカルトと神々に詳しい逸材《いつざい》……のはずだ。一応。

「このゴルゴネイオンという神具が、私にはアフリカ辺りの出土品だと思えてなりません。ギリシアの女神に関わる品物にしてはおかしい……ですよね、やっぱり」

あまり期待せずに祐理は質問してみた。

もしかしたら、何か回答が得られるかもしれない。その程度の心づもりだった。

「ああ、いや。それはおかしくありません。プラトン曰く、ギリシアの女神アテナとリビアの女神ネイトは同一の神、ですからね」

「プラトン？」

あっさりと答える甘粕の顔を、祐理は思わず見つめ直した。

やはり正史編纂委員。何だかんだで自分などよりも、遥《はる》かに知識は豊富なようだ。

「ええ、たしか『ティマイオス』でしたかね。古代ギリシアでは割と有名な話だったのでしょう。ヘロドトスも似たようなことを書いていますよ。『ほとんど全《すべ》てのギリシアの神々は外の国から招来されたものである』……みたいなことをね」

　この解説に、祐理は感心した。

　巫女として英才教育を受けてきた彼女は、同年代の少女たちよりも博識な方だが、さすがにギリシアの古典まではそらんじていない。

「もともとギリシア神話の神々は、古代世界のあちこちから引っぱってきた連中が多いんです。出身地を辿《たど》っていくと、エジプト、リビア、バビロニア、シリア……いろいろですよ。さまざまな地方、民族の神様を自分たちの神話に取り込んだ結果ですな」

「そうだったのですか……。知りませんでした」

「なに、日本人の悪い癖《くせ》です。ずっと島国に閉じこもっていたから、文化が異民族の影響で変質していくという感覚に疎《うと》いのですね。……そうそう、例の草薙護堂氏が倒したというウルスラグナ神なんか、元を辿っていくと聖書にも登場していますよ」

「え!?　本当ですか？」

　一〇の化身を持つという古代ペルシアの軍神。

　そんな中央アジアの神が、どうして世界最大のベストセラーに現れるのか？

「厳密には、あの神様の遠い祖先ですけどね。前にも言いましたが、ウルスラグナはヘラクレスと習合《しゅうごう》した勝利の神です。そしてヘラクレスは、各地の英雄神《えいゆうしん》を統合させた神。その最も古い原型のひとつは、古代カナンの神王にして嵐の神であるバアルだと言います。この神様、旧約聖書では異教の邪神バアル・ゼブブとして記述され、後に大悪魔ベルゼブブと名前を変えて新約聖書にも現れるんです」

「つまり、アフリカの女神ネイトが名前を変えてアテナになった……と。そういうことなのでしょうか？」

この問いかけに、甘粕は曖昧《あいまい》に微笑んだ。

「さて、どうでしょう？　それに関しては、専門外である私が軽々しく言い切るべきではないと思うのですよ。……実は、そこがアテナの厄介なところでしてね。この女神さまはネイトだけでなく、メドゥサとも関係が深いらしい」

「たしかメドゥサを倒したペルセウスは、アテナの庇護《ひご》を受けた英雄でしたね」

ギリシア神話の有名なエピソードを祐理は思い出した。

数十四の蛇を頭髪とし、一瞥《いちべつ》するだけで人を石に変える妖女メドゥサ。ペルセウスが斬《き》り落とした彼女の首は、後にアテナへ献上された。

「その神話こそが、メドゥサとアテナの絆《きずな》を暗示するといいますな。献上されたメドゥサの首は以後、常にアテナの傍にある。ご存じですか？　古来、女神アテナの像が持つ楯《たて》には、必ずと言っていいほどメドゥサの似姿が彫《ほ》られることを」

そうやって、メドゥサはアテナの傍《そば》に居続ける。

なまじな味方よりも、よほど強い縁で両者は結ばれているのだ。

「ついでに言いますと、メドゥサも元を辿れば、北アフリカで生まれた大地の女神です。ええ、魔物ではなくてね」

異民族の神を貶《おとし》めるために、邪悪な魔物として神話に登場させる。無論、物語の最後には討ち倒される運命だ。

　この手の作為的な怪物退治譚《たん》は、古今東西の神話で散見できる。

「しかもね、メドゥサ以外にもアテナと縁のありそうな女神はたくさんいるのです。とにかく、似たようなヤツが多いのですよ」

「似たような、とは？」

　厄介そうに言う甘粕へ、祐理はまた訊《たず》ねてしまった。

　本筋とは関係ないはずの無駄話《むだばなし》。

　そのはずなのに、この話題がひどく重要なように思えてならない。好奇心ではなく、巫女としての霊感がそう告げていた。

「アテナと似た名前の女神が、です。南欧《なんおう》や北アフリカ、トルコやシリアをはじめとする地中海の沿岸部には、アテナと似た名前の女神が異様に多い。アテナ、アタナ、アトナ、アナタ……アシェラト、アセト、アト・エンナなんて神様もいましたな。ちなみに、さっき言ったバアル神の妹はアナトという戦いの女神です。これも似た名前だ」

「戦いの女神……妹……」

　祐理の中で、連想が勝手に進む。

　王たる主神の妹／娘／妻。戦いの女神／蛇の女神／命の女神。

「言語学的《げんごがく》相似《そうじ》、たとえば発音の似た名前はバカにできません。元は同じ名前だったものが広く伝播《でんぱ》したために、各地で似かよった地方名を獲得した……そう考えるのが自然ですからね」

ここで甘粕は一息ついた。

微苦笑を浮かべている。無駄話が過ぎたと思ったのかもしれない。

「まあ、アテナはフクロウの化身だといいます。こうして闇を拡散する理由も、その辺りにあるのでしょうね。そうそう、さっき電話で現地の調査報告を聞きました」

「現地――闇の領域ですね？」

「ええ。アテナは千葉方面から都心に向かって高速で移動中。狙いは当然、そのゴルゴネイオンとやらでしょう。移動しながら闇の領域を広め、ついでにフクロウの群れを呼び寄せているそうです。……なんだか台風みたいですねェ、これは」

甘粕がまた不謹慎《ふきんしん》な冗談を言った直後。

七雄神社の境内は、完全な暗闇に閉ざされてしまった。

周囲に緑が多いとはいえ、都心のど真ん中なのだ。立ち並ぶビル群は、いつも鬱陶《うっとう》しいぐらいに煌々《こうこう》と窓を光らせている。

街灯もあれば、大型商店のネオンも眩《まぶ》しいほどだ。

夜になっても、この辺りは十分にほの明るいのが通例だった。だというのに今、夜の闇はひたすら深く、どこまでも黒い。

空に輝《かがや》く半月が、ささやかに地を照らすだけだった。

「やれやれ、もう女神の影響下に入りましたか……。こりゃいよいよ、魔王様のご出場を願わないと収まりがつかなくなってきましたな」

闇に呑《の》み込まれた境内で、甘粕は虚《うつ》ろにつぶやいた。

2

境内から天を眺めて、祐理はつぶやいた。

射干玉《ぬばたま》の夜と呼ぶにふさわしい漆黒《しっこく》が、眼前に広がっている。

「この気配は闇の神のもの……。そして、ゴルゴネイオンは蛇の印。あれは大地との関わりを示す神具です。闇と大地の双方に関わる女神……」

「アテナの使者フクロウは、夜にのみ現れる不吉な鳥として凶兆《きょうちょう》と見なされてきました。その逆に、智慧《ちえ》の象徴として崇拝《すうはい》される聖鳥でもありました。古来、聖と凶の双方を表すシンボルだったのですな。《蛇》と《フクロウ》の結びつき——どう謎解きしましょうかねェ？」

と、甘粕がぼやいている。

姿はよく見えないが、気配と声は近い。

他にも、異状を察したらしい幾人《いくにん》かの神職が境内に出てきた。

あまり頼りにできそうな雰囲気ではないが、仕方ない。『まつろわぬ神』を相手に何かができる人材など、この国に何人いることか。

間近にいる彼らでさえ、ぼんやりとしかわからない。

祐理《ゆり》は思わず身震《みぶる》いした。

もともと、夜は人間にとって恐怖の対象だった。それを忘れたのは、電灯が闇という闇を駆《く》逐《ちく》したからである。夜を恐れるのは、原初の本能なのだ。

さっきも、闇の領域から抜け出すだけで一苦労だった。

手探りで壁やガードレールを伝いながら、月の光だけを頼りに歩く。何の変哲《へんてつ》もない、どこにでもあるような路なのに、ひどく心細かった。

ねっとりと絡みつくような深い闇は、人間にはどこまでも容赦《ようしゃ》ない。

「これをご覧なさい。かろうじて火の明かりなら使えるんですよ」

不意に、あたたかい橙《だいだい》色の光がともった。

甘粕がライターで火を起こしたのだ。しかし、この火もすぐに燃え尽きてしまった。

「光を生み出すもの——つまり、照明と火は力を失うのですね？」

「その通り。おそろしく強力な、闇の属性……さすがは『まつろわぬ神』です」

時代や国を問わず、神々に名と神話を与えるのは常に人間だった。

人類を脅かし、ときに恵みを与える強大な神々。

元始の時代、彼らには名前などなかった。

人はただ漠然《ばくぜん》と、広大な天空や大地に神の姿を見出し、嵐や洪水を神の怒りと畏《おそ》れ、危険かつ力強い野生の獣《けもの》たちを神の化身として崇めていた。

だが歳月を経る内に、人は神々へ名を与え、神話を紡《つむ》いでいった。

たとえば、大地の創造神エル。戦場の神オグミオス。豊穣《ほうじょう》の女神アルテミス。

たとえば、闘争と鍛冶《かじ》の神オグン。荒々しき戦士の神にして破滅の神テスカポリトカ。

たとえば、高天原を逐《お》われし流浪《るろう》のスサノオウ。一二の化身を持つヴィシュヌ。

星の数ほど神々はいる。

全て人間が生み出したものだ。

これはいわば、卑小《わいしょう》な人間が神々の猛威《もうい》を防ぐための儀式なのだ。

名を持ち、神話を得た神々は、その枠を越えることはない。人々に恵みを授けるときも、報《むく》いを与えるときも、己《おのれ》の役割に基づいて行動する。

だからこそ、人は神の脅威《きょうい》にも祝福にも備えることができる。


しかし、与えられた名と物語を越えようとする神がいたとしたら。

元始の、神話による制約が弱かった頃の己に回帰《かいき》していく神がいたとしたら。


そんな神々が『まつろわぬ神』と呼ばれるようになる。

彼らは人の紡いだ神話に背《そむ》き、地上をさまよい歩く。己に名を与えた民の国を彷徨《ほうこう》するときもあれば、まったく縁のない土地へと流れていくときもある。

いずれにしても、『まつろわぬ神』は往く先々で人間に災いをもたらす。

太陽の神が到来すれば、そこは灼熱《しゃくねつ》の世界と化す。

海の神が到来すれば、そこは津波《つなみ》に呑《の》み込まれて海底に沈《しず》む。

冥府《めいふ》の神が到来すれば、そこは疫病《えきびょう》の蔓延《まんえん》する死の巷《ちまた》となる。

裁きの神が到来すれば、そこに住まう人々は大小さまざまな罪の報《むく》いを受ける。

ただ通り過ぎるだけで、世界に影響を及ぼし、己が好む姿に造りかえてしまう禍《まが》つ神《かみ》――それが『まつろわぬ神』なのだ。

「でも、さきほどの闇の中では光だけでなく車も止まっていましたが、あれは何なのでしょう？　おかげで事故が起きずに済んでいましたけど……」

さっきから疑問だった点を、祐理は確認した。

高速で走る自動車や二輪車のライトが急に消失すれば、事故が多発するはずだ。

アテナが通り過ぎた全区域で、そんな惨事《さんじ》が発生したら――考えるだけで恐ろしい。

「そこは不幸中の幸いでした。闇の領域が無効化するのは、光と火。この二つに関わるものは、全て働かなくなります。ライトだけでなく、車両のエンジンまでアテナの力は止めてくれました。さすがに追突事故なんかは起きてますがね、惨事には至ってないようです」

この闇の中では、光と火を長時間発生させる道具――照明機器以外だとガスやガソリン、灯油などを使用する器具は使えないと甘粕は言う。

そのくせ電話や無線、冷房などは普通に使えるのだとも。

江戸川《えどがわ》・江東《こうとう》・中央区《ちゅうおうく》の三分の一から半分ほどが闇に呑まれ、いまや港区《みなとく》まで浸食《しんしょく》が始まっている。

これを受けて、東京の東部を走る電車の路線は運行停止に陥《おちい》った。

「……理屈に合っているといえば合っていますし、デタラメといえばデタラメですね」

「アテナは、人に仇《あだ》なす邪神でもないですからね。傍迷惑《はためいわく》ではあっても、大惨事になっていない理由はそこにあるのでしょう。この力なら、もっと破滅的な被害を与えることだって難しくないですよ。……まあ、このまま続けば、時間の問題かもしれませんが」

甘粕の懸念《けねん》も、もっともだった。

これはいよいよ、早急に退散願わなくてはなるまい。

だが、ある懸念がだんだん祐理の中で大きくなってきた。

数時間前、草薙護堂《くさなぎごどう》は女神に会うと行って飛び出したきりだ。その彼は一向に戻ってこない。代わりにアテナの方が東京にやってきた。

しかも、居場所を隠すでもなく狼藉三昧《ろうぜきざんまい》。

これはあまりに、無警戒《むけいかい》すぎないか。仇敵《きゅうてき》であるカンピオーネが近くにいるなら、もっと慎重《しんちょう》になってもよさそうなのに。

「まさか草薙さん、アテナと戦って、もう負けてしまったとか？」

祐理はその可能性に気づき、不安になった。

魔王の権能《けんのう》を持つはずなのに、なぜか頼りない——どころか偉大《いだい》そうにも見えない、同い歳の少年。

顔を合わせる前は緊張と恐怖で逃げ出したくなるほどだった。

ところが実際に会ってみると、緊張どころか妙に安心してしまい、いつのまにか叱《しか》りつけ、不心得を注意するようなことまで言ってしまった。

異性に対して、いや同性に対しても、あんな口を利いたことはない。

不思議と心がほぐれ、遠慮する気持ちが薄れた結果だった。――もしかすると、あの草薙護堂と自分には、ある種の相性の良さがあるのかもしれない。

カンのいい祐理には、初対面で相手との相性がどんなものか、何となくわかるのだ。

そこに思い至って、彼女はぶんぶんと勢いよく頭を振った。

あんなイヤらしい愛人を侍《はべ》らせているような輩《やから》と、親しくしたいなどとは思わない。そう、たとえ天地がひっくり返っても、絶対に！

「――あ、あの方と連絡を取ってみましょう。甘粕さん、携帯電話を貸して下さい」

「どうぞ、ご遠慮なく。もし可能であれば、彼にアテナを撃退してもらえないか要請《ようせい》して下さい。もう、それ以外の方法で収拾はつかないでしょうしね」

相手の返事を待たずにのばした祐理の手へ、長方形の電話機がのせられる。

アテナの神力のせいか、携帯電話の液晶パネルが放つ光は普通よりも暗い。しかし、電話の機能は通常通りだと甘粕は言う。

護堂の携帯電話の番号は、別れ際にメモで渡されていた。

暗記済みなので、すぐに数字を打ち込む。……ややあってから、応答があった。

『もしもし？』

「万里谷《まりや》です。草薙さんですね？　今、どこにいるんですか!?」

　聞き覚えのある声に、祐理は叫《さけ》んだ。

『ええと……荒川《あらかわ》の近くだから、葛西《かさい》の辺りなんだけど、車も電車も止まっていて立ち往生《おうじょう》している。そうだ、先に報告しておこう。アテナはゴルゴネイオンを目指して移動中のはずだ。ヤツが通り過ぎたあとは、光と火が使えなくなる。気をつけてくれ』

「そんなこと、とっくに承知しています。あなたは一体、今まで何をしていらしたんですか？　アテナはもう港区まで到達しているのですよ!?」

『……面目《めんぼく》ない。実はアテナに出し抜かれて、さっきまでちょっと死んでた』

「死!?　お体は大丈夫なんですか？　もし身動きできないようなら、すぐ迎えに――」

　いきなりの重大発言に、祐理は不安でたまらなくなった。

　冗談ではないことが、直感でわかったからだ。草薙護堂はこんなときに作り話をする人間ではない。なぜか祐理には、そう確信できた。

『ああ、大丈夫だから気にするな。知ってるだろ？　俺の体は無茶苦茶だからさ。普通なら死ぬしかないところでも、結構ごまかしが利くんだ』

「ごまかしって――バカなことはおっしゃらないで下さい。そんな無理をした後で、すぐに動くなんて非常識です。いくら草薙さんが普通の方でなくても……」

　思わず心配になったので、さとすように言う。

　いま電話で話している相手は、放っておくと平気で無茶をしそうな気がする。案の定、この不安を裏付けるような返答が返ってきた。

『うん、普通の人間じゃないから大丈夫なんだよ、割と。でな、万里谷にひとつお願いがある。イヤなら断ってくれて構わないから、聞くだけ聞いてくれ』

「……何でしょう？　私にできることなのですか？」

『できる。と言うより、万里谷しか頼める人間がそっちにはいないんだ。でも、すごく危険なことだから、強く頼めない。——もし可能なら、移動してくるアテナを待ち伏せてくれ』

「待ち伏せ!?」

アテナ——強大な『まつろわぬ神』を待ち受ける。

自殺行為もいいところだ。草薙護堂は一体、何をさせるつもりなのか。

『アテナが近くに来たら、俺の名前を呼んで欲しい。そうしてくれれば、俺は万里谷の傍《そば》まで飛んでいける——はずなんだ』

「飛ぶ？　……ということは、それも草薙さんの権能なのですね？」

『まあ、一応。誰か、俺の顔見知りが名前を呼んでくれれば、そいつの傍まで飛んでいける——って能力だと思うんだよなァ』

「……先ほどから『はず』とか『思う』とか、不確かそうなお言葉が続くのは気のせいでしょうか？」

微妙な含みを感じたので、祐理は問いただした。

『ああ、実は確証がない。まだ使用条件を確認している段階なんで、いつも成功するとは限らにいること――この条件を満たしていれば、使える力なんだと思う』

ないんだ。多分、俺と相手が顔見知りで、相手が危機的状況にあって、どちらも風が吹く場所

「確かなのですか？」

『大筋《おおすじ》はまちがえてないはずだ。……わからないのは、相手の危機がどの程度ならいいのかな

んだよな。さすがに神様と出くわすような状況ならいけると思うんだけど』

「そんな不確かで危険な話に、協力する人間がいるわけないでしょう！」

『やっぱり、そうだよなあ。悪い、ちょっと無理を言った。すぐアテナに追いつけそうにない

から、ズルしたくなったんだ。……そっちも危ないんだろ？　ゴルゴネイオンは置いて、どこ

かに逃げてくれ。アテナの後始末は俺たちでちゃんとやるから』

祐理が激昂《げっこう》すると、護堂はさばさばした声で言った。

本気の要望ではなかったのだろう。

だが確かに、こんな反則気味の手でも使わなければ、草薙護堂がアテナに追いつくのは難し

い。その事実に祐理は気づいてしまった。

誰かがやるべきことで、それが自分にしかできないことなら――。

名乗りを上げるしかないではないか。

「わかりました。私はゴルゴネイオンと共にアテナを待ち受けます。……必ずお呼びしますか

ら、絶対に来て下さいね。私、こんなところで死にたくはありませんもの」

死ぬ、というのは大げさな表現ではない。

強大な『まつろわぬ神』と遭遇《そうぐう》する以上、何が起こるか想像もつかない。下手をすると、目を合わせるだけでも祐理は発狂するかもしれない。

それほど、神と人はかけ離れた存在なのだ。

『……本当にいいのか、万里谷？　俺が言っておいて何だけど、早まるなよ』

「他に手はないのでしょう？　あれば、草薙さんがあんな風におっしゃるはずありませんし。ええ、あなたは仕方のない困った人ですけど、そういう悪ふざけはされない方です」

『い、いや、そう言ってくれるのはうれしいけど、俺たち今日会ったばかりだぞ。あんまり信用するのもどうかと思わないか？』

「私はこれでも、武蔵野《むさしの》の媛巫女《ひめみこ》です。そういうことは、ちゃんとわかるんですよ。——今回だけ手を貸して差し上げますから、ちゃんと駆《か》けつけて下さいね」

相手の返答を待たずに電話を切る。

制止の声をこれ以上聞いたら、せっかくの決心が鈍《にぶ》りそうだったのだ。

果たして、草薙護堂は今の約束を守ってくれるだろうか？　祐理の霊感も、その答えを教えてくれはしなかった。

ふと顔を上げる。

気づけば、いつのまにか甘粕と神職たちが寄ってきていた。

「……祐理さん、いつのまに草薙護堂とそんなに親しくなったんです？」

「バカをおっしゃらないで下さい、甘粕さん。今の話を聞いて『親しく』なんて、どうして思われるんです。それより、私はゴルゴネイオンを持って社《やしろ》を出ます」

怪訝《けげん》そうな甘粕へ、祐理は淡々《たんたん》と告げた。

「草薙さんは権能を使って、こちらへ戻るそうです。私はその手引きをします。でも、この辺りへアテナを呼び寄せるわけにもいきませんから、もっと人の少ない場所に移動しないと——。皆さん、後のことをお願いできますか」

媛巫女の威厳《いげん》を込めて命じる。

丁寧《ていねい》な物言いではあるが、これは命令なのだ。否《いな》と言わせるつもりはない。

「危険です。アテナをおびき出すのなら、私がしますよ」

甘粕が口をはさんだ。

祐理の強い視線を受けて神職たちは黙《だま》り込んだが、この男には通じない。

「駄目《だめ》です。甘粕さんじゃ、あの人を呼べないみたいですから。私じゃないと駄目なんです。だから、ひとりで参ります」

相手がアテナなら、何人いても同じこと。単独行動の方が、余計な犠牲《ぎせい》を出さずに済む。

祐理は安心させるつもりで、かすかに微笑んだ。

「大丈夫。草薙さんには絶対に来いって、言ってあります。あの人は多分、こういうときだけは約束を守るはずですよ。そんな気がするんです」

## 3

闇に閉ざされた市街を、祐理《ゆり》は早足で進む。

頼りにできるのは月と星々、ようやく暗闇に慣れてきた両目だけだ。

いつもは夜でも明るい。

オフィス街のビルはいくつもの窓が明るい光を放っているし、おびただしい数の街灯が夜道を照らしてくれる。

だが、偽りの光はもうない。

真の闇が、この一帯を支配していた。

目を凝らして、腕時計の針を確かめてみる。もう夜の一一時に近かった。

周囲を歩く人はひとりもいない。

もともと深夜のオフィス街だから、夜更《よふ》けともなれば昼間よりも人はぐっと少なくなる。だが、この辺りに住んでいる人々もいるし、遅い残業から解放された人もいるはずだ。

こんな風に、無人になるなどありえない。

皆、家や勤め先に閉じこもり、朝を待っているのだ。

外に出ても、先の見えない深淵《しんえん》のような闇が待ち受けているだけ。

懐中電灯さえ使えない状況で徘徊《はいかい》するほどの恐れ知らずは、祐理ひとりぐらいなのだろう。

よく知るはずの街。

いつもなら迷う心配など、かけらもない。しかし、今夜は特別だった。

建物やガードレールを手探りで確かめながら、数メートル先さえ定かでない路を進む。

土地勘《かん》など、たいして役には立たなかった。

自分がどの辺りを歩いているのか、もう正確にはわからない。

オフィス街よりは、まだ人の少ない海の方――東京湾方面を目指して、闇雲に歩いているだけなのだ。

祐理が持つ包みのなかには、ゴルゴネイオンが入っている。

これを持ったまま、アテナの掌中とも言える暗黒から逃れ得るはずもない。

草薙護堂《くさなぎごどう》と女神の対決を、すこしでも被害が少なくなる場所で行わせたい。その一心で、暗闇の街を独り往く。

巫女の装束《しょうぞく》を着たままなので、普通の夜なら好奇の視線を一身に集めたはずだった。

しかし今は、誰も見咎《みとが》める者はいない。

言い知れぬ孤独感に苛《さいな》まれながら、祐理は車道を突っ切ろうとした。

せいぜい打ち捨てられた車が放置されている程度だから、もう交通法規など気にする必要はなかったのだ。

後ろから声をかけられたのは、その途中だった。

「――見知らぬ神に仕える巫女よ。そなたの持つ蛇の印を渡して貰《もら》いたい」

静かな夜。

異常ではあっても、静寂《せいじゃく》と沈黙《ちんもく》に包まれた夜。

その妖しい静けさを乱さぬ、夜風のように涼《すず》やかな声だった。

「妾《わらわ》はアテナ。ゼウスの娘にして、そこを越え行く者。そなたの手より《蛇》を強奪《ごうだつ》する者でもある。異邦《いほう》の神に属する者への非礼を、まずは詫《わ》びておこうか」

聖なる存在の濃厚な気配が、一歩一歩近づいてくる。

振り返る。

ゆっくりと歩み寄ってくる少女がアテナだと、一目で確信できた。

月明かりを浴びる処女神《しょじょしん》の姿は、か細いくせに異様な力感をみなぎらせていた。

夜風に揺れるアテナの髪が、なぜか禍々《まがまが》しい。

燦《きら》めく銀の髪の一本一本が、祐理には蛇のように思えてならなかった。

「古の《蛇》——ようやく見つけた。これで妾はかつてのアテナ、まつろわぬアテナへと戻れる。巫女よ、後代まで語り継ぐといい。三位一体《さんみいったい》の女王が甦《よみがえ》り、再臨《さいりん》した一幕を」

アテナはただ、小さな掌《てのひら》を前へ差し出しただけだった。

ただそれだけで、祐理の持つ包みはほどけ、黒曜石のメダル——ゴルゴネイオンは女神の手中へと飛んでいった。

「これこそ、古の《蛇》。ついに妾は過去を取り戻した」

アテナは微笑んでいる。

暗闇の中ではあったが、祐理は愉悦《ゆえつ》の気配をはっきりと感じ取った。

さらに女神は天に向けて、高らかに謡《うた》い出した。

「妾は謡《うた》おう、三位一体を為《な》す女神の歌を。天と地と闇をつなぐ、輪廻《りんね》の智慧《ちえ》を。

妾は謡おう、貶《おとし》められた女神の唄《うた》を。忌《い》むべき蛇として討たれた女王の嘆《なげ》きを。

妾は謡おう、引き裂かれた女神の詩《うた》を。至高の父に陵辱《りょうじょく》された慈母《じぼ》の屈辱を。

我が名はアテナ。ゼウスの娘にしてアテナイの守護者、永遠の処女。

されど、かつては命育む地の太母なり！　かつては闇を束ねし冥府の主なり！　かつては天の叡智《えいち》を知る女王なり！　ここに誓う、アテナは再び古きアテナとならん！」

朗々《ろうろう》と言霊《ことだま》が紡ぎ出される。

歌うように、祈るように、讃《たた》えるように。

この詠唱《えいしょう》が進むにつれて、アテナの姿が変わっていった。

背が伸び、すっきりと手足も伸びきり、可憐《かれん》な少女の背格好から端麗《たんれい》な乙女《おとめ》の形へ。

面差《おもざ》しから幼さも消えていく。

外見だけで言えば、一七、八歳ほどに見える。着衣も現代の衣装から、古風な白い長衣となっていた。

「まつろわぬ……アテナ――！」

女神の姿を間近に直視して、祐理の霊感はその本質を唐突に理解した。

ここにいるのは、大いなる地母の末裔《まつえい》。

ここにいるのは、死と闇を従《したが》える暗黒の支配者。

ここにいるのは、天と地と闇を統《す》べた落魄《らくはく》せし女王。

しかし、それでも抗《あらが》わなければいけない。この街は神の所有物ではなく、人の手で築かれた、人の為の都なのだ。

「お戯《たわむ》れはおやめ下さい、アテナよ！　御身《おんみ》にはまだ戦うべき相手が残っています！」

神への造反《ぞうはん》に震《ふる》える体を無視して、祐理は力の限りに叫んだ。

「ほう。巫女よ、興味深いことを申すな。その者の名を告げよ。あるいは、いま妾《わらわ》が思い浮かべている名と同じやもしれぬ」

「神を殺《あや》める羅刹《らせつ》の化身、魔術師たちも王と崇《あが》める者――草薙護堂が御身と戦います！　彼に勝つまでは、かような狼藉《ろうぜき》はおやめ下さいませ！」

むしろ面白がるアテナへ、祐理は恐怖をこらえながら言い返した。

巫女として英才教育を受けてきた彼女には、神々の脅威《きょうい》が誰よりも理解できる。それなのに、こんな口を利いてしまっている。

――いや。

この震えは、恐怖の為だけではない。

体温が下がっていることに、祐理は気づいた。ゴルゴネイオンを取り戻したアテナの間近にいたせいだ。女神が放つ冥府《めいふ》の冷気を浴びて、彼女の体も死に近づいているのだ！

「ふむ……すまぬな。古き力を取り戻したはいいが、まだ上手く御《ぎょ》せぬようだ」

笑みを含んだアテナの声が響く。

そこに宿る言霊は、遭遇した直後とは比較《ひかく》にならないほど重厚だった。

「しかし、死の息吹《いぶき》を浴びたのはそなただけはないぞ。先ほど、草薙護堂めにも吹き込んでやった。まあ、彼奴《きやつ》が死の淵《ふち》から甦り、再び妾《わらわ》の前に立つというのであれば、そなたの願いを聞き届けてやっても構わぬが――」

「ならば、決まりです。あの方は未《いま》だ死んではおりません。私を――ええ、私を守るために、すぐに駆けつけてくるはずです！　ご覧なさい！」

この震える足では、まともに立つことも難しい。

それでも祐理は、膝《ひざ》をつくのをこらえる。

さっきは敢《あ》えて約束の返事を聞かなかった。一方的に来て欲しいと告げ、電話を切った。

使えるかどうかも定かでない力。

それを使って、草薙護堂は飛んでくるという。もし彼が来なければ、自分はここで死ぬ。このままではもう助からない。

来るか、来ないか。信じてよかったのか、信じるべきではなかったのか。

全ての迷いを振り捨てて、祐理は精一杯の大声で叫んだ。

「草薙さん！　草薙護堂！　早く来て！　私とアテナはここにいます！　早く――あなたの力を必要とする者がいるんです。急いで！」

風が吹いた。

初めは夜を渡る微風。すぐに疾風《しっぷう》となり、やがて渦巻く強風となる。

アテナが瞠目《どうもく》した。

渦巻《うずま》く風の中心に立つ者の姿がそうさせたのだ。

——草薙護堂。

風と共に忽然《こつぜん》と現れたのは、まちがいなく草薙護堂だった。

彼の鋭いまなざしと視線が合う。

うなずきかけてくる同い歳の魔王を見た途端《とたん》、祐理の膝は折れ、倒れ込んでしまった。

だが、不思議と不安はなかった。

どれだけ未熟でも、どれだけ迂闊《うかつ》でも、彼はきっと帳尻を合わせてしまうのだろう。

守護すべき弱き者と、朋友《めいゆう》の危機は必ず救う。——その器量なくして、ただの少年が戦士《チャンピオン》の称号を獲得などできはしなかったはずだ。

草薙護堂は来るべくして、ここに来た。

そう直感した祐理は、たしかな安堵《あんど》と信頼を込めて、彼にうなずき返した。

4

この直前、護堂《ごどう》は西葛西《にしかさい》の駅前にいた。

アテナはゴルゴネイオンを求めて、祐理《ゆり》がいるはずの七雄神社に向かったはず。だから、再びアンナの運転する暴走車に乗って、東京へ戻ろうとしたのだが――。

葛西近辺は、すでにアテナの影響下に入っていた。

「すこし寝てただけで、もうこれかよ。なんて迷惑な女神さまだ」

護堂はぼやいた。

闇に呑《の》まれた領域の中では、照明も車も用を為《な》さない。

中葛西の端辺りに到達したところで、アンナの操る地獄《じごく》への直行便は緊急停車となった。身の安全を取り戻せたのは僥倖《ぎょうこう》だったが、ここで足止めされるわけにもいかない。

周囲には、同様に役立たずとなった車輪付きの鉄箱が行列を作っていた。

「なあ、フクロウとアテナの関係だけどさ。智慧《ちえ》の象徴である鳥だから、智慧の女神の使者ってことでいい……んだよな？」

護堂が窓の外を眺めると、ちょうど小さな影が飛んでいくところだった。

夜目が利くおかげで、それがフクロウだとわかる。

あんな鳥、ほとんどの日本人は図鑑やテレビでしか見たことはないだろう。あの銀髪の女神が呼び寄せたに決まっている。

アテナにはグラウコピスという呼び名もあったらしい。

意味は『輝く目を持つ者』。

だが、今の護堂は知っている。この名の原語に即した本来の意味は『フクロウの目をした者』なのだ。

「それだけだと不完全ね。夜行性のフクロウは、闇に閉ざされた冥界《めいかい》と現世を往き来できる死神の化身だと古代では考えられていたの。だから、かつて闇の冥府神だった過去を持つアテナの下僕《げぼく》になるのは必然だとも言えるわ」

すらすらとエリカが答えた。

……そんな曰《いわ》くもあったのか。このときの護堂の心境は、半分しか解けないテストを前にした受験生のものだった。

「この程度もわからないようじゃ、アテナを倒すなんて不可能じゃない？　早くさっきの続きをしましょうよ。結局、ここまでの道中で講義らしい講義はできなかったし」

「いやッ。いやいや、それはやめよう。本当にまずいから！」

ふてくされながら言うエリカから、護堂は慌《あわ》てて距離を取った。

相棒《あいぼう》のかけてくれた魔術のおかげで、アテナに関する知識はだいぶ増えた。

『教授』の術で吹き込まれた知識はいずれ頭の中から消えてしまうが、一日程度は余裕で保つ。まだ、しばらくは大丈夫なはずだ。

問題は、知識にまだまだ抜けがあるところだった。

一応『戦士』に化身できる程度にはなったが、完全ではない。『剣』を最強の状態にすることはできないだろう。

今まで乗ってきた車の中は動きが激しすぎて、講義を聴くどころではなかったのだ。

「とにかく、先に進まなきゃ話にならないな。アンナさん、俺はここで降ります。ありがとうございました」

　礼を言いながら護堂は後部座席のドアを開け、車外へ出る。

　このまま歩いてでも七雄神社へ向かう。足踏みするつもりはなかった。

「はい、御武運をお祈りいたします。護堂さん、必ず無事でお帰り下さいね。そうしてくれたら、お祝いにご馳走《ちそう》を作りますから！」

「そいつは楽しみです。ぜひ、お願いします」

　笑顔で見送ってくれるアンナは、やはり騎士に仕える女性だった。

　こんなときでも湿《しめ》っぽい別れ方を選んだりしない。何気なく明るく、再会を約束させる。

「……一応断っておくけど、アリアンナの手料理を食べるときは、ひとりでお願いね。わたしは絶対につき合わないから」

　当然のような顔でいっしょに下車したエリカが、隣を歩きながら言う。

　その真剣な口調に、護堂は思わずたじろいだ。

「そういえば、さっき料理が下手みたいなこと言ってたな。そんなにヤバイのか？」

「いいえ、アリアンナの料理の腕は一流よ。ただね、鍋《なべ》で煮込《にこ》ませたら危険なの。まちがいなく、今まで体験したことのない脅威《きょうい》の味を御馳走《ごちそう》してくれるわ。お祝いの料理なんて言ったら、絶対に気合いを入れて煮込むわよ」

　神にも悪魔にも物怖《ものお》じしないエリカを、ここまで警戒《けいかい》させるアンナ。

　つくづく只者《ただもの》ではない。

とはいえ、今は未来の食卓よりも現在の窮境《きゅうきょう》を案じるべき時だ。この暗闇も苦にしない護堂とエリカは、連れ立って歩き出す。

「……それにしても、アテナも好き放題やりはじめたよな」

「一度、勝っちゃったものね。護堂を警戒する必要はないって判断したんでしょ」

闇に呑まれた街中を、ひたひたと歩く。かなり退屈な旅程になりそうだ。

──いや。

エリカが隣に寄り添ってきた瞬間、護堂は思い直した。こいつが一緒にいて、退屈できるはずもない。

「アテナの横暴を止めるためにも、もっとしっかり『戦士』の準備をするべきだわ。ねえ、さっきの続きを早くはじめましょうよ」

「結構だ。今ぐらいで十分だよ。いいか、俺は戦いに行くんじゃない。アテナと交渉して、退散させに行くんだ。武器なんて、相手に警戒させる程度で十分なんだよ！」

「甘いわねー。自分を殺せる威力のない武器を、アテナほどの女神が警戒すると思う？」

「そう思うなら、言葉でアテナのことを教えてくれよ！」

「いや、めんどくさい。さあ護堂、わたしの唇が欲しいって言ってみて。情熱的に、わたしの心を蕩《とろ》かすように。ほら、早く」

「そんな恥《は》ずかしいこと、言えるか！　これだけ街中に迷惑かけてるヤツが相手なら『白馬』だって使えるし、何とかなる！」

少し前から、護堂は『東』の方位を漠然《ばくぜん》と感じ取れるようになっていた。

渡り鳥にでもなったかのような超感覚。

これは、ウルスラグナ第三の化身が使用可能になった兆候《ちょうこう》なのだ。できれば使わずに済ませたい類《たぐい》のものだが、かなり強力な切り札となる。

だから、エリカに対しても邪険《じゃけん》に拒絶する余裕《よゆう》ができていた。

武器が多いに越したことはないのだが、仕方ない。あの下準備は、草薙《くさなぎ》護堂《ごどう》には刺激が強すぎる。いろいろな覚悟が必要になってしまう。

——言い合いをしながら、ふたりは延々《えんえん》と歩く。

西葛西の駅前までやってくると、今までよりも騒然としていた。

さすがに、余所《よそ》よりも人が多い。

電車が止まったため、足止めを喰らっている人々が騒ぎ立てていたようだ。

原因不明の停電が生じたため、東西線《とうざいせん》、総武線《そうぶせん》をはじめとする各路線が一時的に運行を休止中だと、駅員や警官たちがマイクを使って説明していた。

その周りに帰宅途中らしき人々が集まって、不安そうに聞き入っている。

「停電って、さすがに苦しい言い訳じゃない？」

「まあなァ。電話とかラジオとかは、普通に使えてるみたいだしな。ところでイタリアとかヨーロッパだと、こういうときはどんな風に説明するんだ？」

集まる群衆を眺めながら、エリカと護堂はささやき合う。

本性を顕《あわら》した神が降臨《こうりん》した地域では、広範囲に渡って理屈に合わない現象が発生する。魔術師でない普通の人々には、災難もいいところだろう。

「大体、ハリケーンとか地震《じしん》とか、有害ガスが発生したから外出を控えろとかね。まあ、どう説明をしても、みんな何となく察してくれて、大人しくしてるんだけど」

「察するって？」

「ヨーロッパ――特に南欧や東欧、イングランドは魔術の本場、魔王のお膝元よ。『まつろわぬ神』やカンピオーネが現れたら、すぐにわかるわ。どう考えたって、普通じゃないことばかり起こるんだから」

欧州といえども、魔術師はおおっぴらに看板を掲げているわけではない。

しかし、エリカが所属する《赤銅黒十字《しゃくどうくろじゅうじ》》のような秘密結社が、ほとんどの都市に存在するという。魔術に関わる者の大半は、そうした結社に所属するらしい。

結社への接触法を知る古老が、街には少なからずいる。

魔術師との関わり合い方や、神やカンピオーネへの畏怖《いふ》は、彼らによって都市伝説的に言い伝えられていくのだとエリカは語った。

「でも、東京もこれからヨーロッパみたいになるんじゃない？　何と言っても、この街には護堂がいるわけだし。現にこうやって『まつろわぬ神』も来たしね」

「そんなところで、東京都民に察し良くなって欲しくはないよ」

生返事をしながら、七雄神社への早道を考える護堂。

まともな移動手段を使えないのなら、やはりウルスラグナの権能以外にないわけだが。

「……やっぱり『風』の力を使うのが一番か。あれはまだ謎な部分があるから、あまり頼りたくないんだよなあ」

ウルスラグナは勝利の神であり、王権《おうけん》を支える神でもある。

だが、パルティア朝、ササン朝などの古代ペルシアで広く崇拝《すうはい》された結果、民衆の守護神ともなった。その性質を最も顕著《けんちょ》に表す化身が『風』なのだ。

吹き往《ゆ》く風となり、各地の民衆——特に旅人を守る。

古代ペルシアではウルスラグナの呪文を唱えて旅の安全を祈り、この神の小さな像を刻んで街道の守護神としたらしい。

「『風』の化身を使うとしても、誰に呼んでもらうつもりなの？」

「万里谷ぐらいしか思いつかないよ。あの娘にそこまで迷惑かけるのも悪いし、どうしたもんかな……？」

エリカに答えながら悩んでいると、護堂の携帯電話が鳴り出した。

「——もしもし？」

『万里谷《まりや》です。草薙さんですね？　今、どこにいるんですか⁉』

タイミングのいいことに、話題の当人からの電話だった。

現状報告をしたあとで、何となく思いついて協力を頼めないか打診してみると、ＯＫが出てしまった。

自分で頼んでおいて今さらだが、これでもう失敗はできない。責任重大だ。

「今の電話、さっきの女から？」

顔を引き締める護堂の横で、エリカが訊ねた。

「女とか言うな、万里谷祐理《まりやゆり》だよ。ちゃんと名前で呼べ」

「わかったわよ。……囮《おとり》になるのを引き受けてくれたんだ。意外に勇気のある娘なのね」

「勇気っていうか、責任感なんだろうな。……失敗した。言うんじゃなかった。あんな娘を無《む》駄死《だじ》にさせたら、一生の十字架《じゅうじか》だぞ、ほんと」

多分、自分以外に引き受ける者のいない厄介な仕事があれば、万里谷祐理はため息をつきながら買って出るのだろう。

責任感の強い、真面目な少女なのだ。

短いつきあいだが、そのことが十分にわかってしまった。

「ねえ護堂、ちょうどいい機会だから言っておくけど、わたしはこれでも寛容《かんよう》な女なの」

「何だよ、いきなり？　今、おしゃべりしている余裕はないぞ」

「寛容だから、第一の愛人であるわたしの次、二号までは大目に見てあげようと思ってるわ。護堂だって若い男の子だし、他の女が気になるときもあるでしょうしね」

エリカが妙な発言をし出した。

一体、何を言わんとしているのだろうか？

「二号さん以前に、まだ本妻もいないわけだが……。できれば単刀直入に頼む」

「じゃ、遠慮なく。二号はあの万里谷って娘にしておきなさい。あの娘はすごく貴重な人材よ。護堂の権能とも相性がいいし、勇気もある。きちんと手なずけておくべきだわ。いい？」

「…………は？」

護堂はまじまじとエリカの顔を見つめ直した。

金髪の悪魔は、少なくとも表情だけは真剣そうだった。

「あのレベルの霊視術師は滅多にいないの。……この先、わたしが素性《すじょう》を知らない神と戦うときでも、あの娘に霊視させれば神の属性をある程度は解読してくれるはずよ。あなたの『剣』を研《と》ぎ澄《す》ますためには格好の人材なんだから、逃す手はないわ」

「変な冗談は言うな！　万里谷とまで、あんな真似《まね》できるわけないだろ！」

「わたしは本気よ。こんな不愉快な冗談、言うわけないでしょ？　あ、断っておくけど、あくまで二号止まりでないと認めないからね。いつでも、誰が相手でも、あなたの一番はわたし

──エリカ・ブランデッリだって忘れたら許さないんだから」

ささやきながら、エリカはそっと護堂の手を握りしめてくる。

なぜか手錠《てじょう》をはめられた気分になってしまった。

「もし忘れたときは……きっと護堂のことを斬り殺したくなると思うから、忘れちゃダメよ。わたしは寛容だけど、我慢《がまん》はしない女なの」

と、軽やかに笑うエリカ。

いつもの悪魔めいた笑みとちがって邪気《じゃき》がない。

その可愛《かわい》らしい笑顔が、護堂にはたまらなく恐かった。邪気がない分、これは本気の殺人予告ではないかと思えたのだ。

「って、待て。この前、思いっ切り刺そうとしてただろ！」

「あんなの、ただの遊びじゃない。本気で憎《にく》くなったら、絶対確実に殺せる時を狙うわ。こうやって、逃がさないように抱きしめながら、急所を一突き。かんたんでしょ？」

と、エリカがすり寄ってこようとする。

それを護堂は慌てて振り払った。道徳心よりも恐怖心ゆえの反応なのが情けない。

「バ、バカなこと言ってないで、離れろ。これから『風』の力を使うんだ。あの化身はまだ上手く使えないから、集中したいんだよ！」

護堂は手近なガードレールに腰を下ろした。

目をつぶり、精神を集中させる。

研ぎ澄《す》まさなければいけないのは、耳だ。彼方《かなた》より届く声を、聞き洩《も》らしてはならない。

不安をささやき合う人たちがいる。

携帯電話に向かって、電車が止まったことへの怒りを訴える中年男性がいる。

泣き出す子供がいる。

周囲をなだめようとしている人がいる。

警官に筋違いの文句をぶつけている人がいる。

——そういった全ての声を、護堂は無視した。いま聞き取らねばならないのは、これではない。彼方から届く声。守護すべき者が自分を呼ぶ声だ。

あんなに真面目でいいヤツを、見捨てるわけにはいかない。絶対に、あの娘の声を聞き取ってみせる。

必要なものは集中力。その一瞬を聞き逃さない、最大限の集中力である。

きっと上手くいかせてみせる。

これは野球をやっていた頃から、誰にも負けなかった得意分野だ。

自分よりも上手い巧打者は何人もいた。自分よりも遠くに飛ばせる強打者も少なからずいた。それでも、常に四番を打ってきたのは、試合で打ち勝ってきたのは草薙護堂なのだ。

打つべき時に打つ。

それを可能にするのは、窮地《きゆうち》に怯《ひる》まない集中と精神力――。

「草薙さん！　草薙護堂！　早く来て！　私とアテナはここにいます！　早く――あなたの力を必要とする者がいるんです。急いで！」

それが伝わる瞬間を、護堂はついに捉《とら》えた。

遥か遠くから、呼び声が届く。

すかさず目を開き、立ち上がる。条件は全て整った。

ウルスラグナ第一の化身『風』。

神話に曰《いわ》く、かの軍神は強風の姿で聖者ザラシュストラの前に現れ、告げたという。我は最強にして最多の勝利を摑む者、人と悪魔の敵意を挫《くじ》く者なり、と。

「いくぞ、エリカ！　つかまれ！」

相棒を招き寄せながら、護堂は『風』の化身となった。

渦巻く旋風《せんぷう》が、足下から湧《わ》き起こる。

飛び込んでくるエリカの腕を引き寄せながら、護堂は風に乗って飛んだ。

「――生きていた、いや、甦ったか。見事だぞ、草薙護堂！　それでこそ我らが仇敵《きゅうてき》！　魔王の忌《い》み名を持つ者よ！」

数時間ぶりに聞く、再会を祝うかのようなアテナの声。

風が霧散すると、いつのまにか見慣れぬ車道の上に立っていた。数メートル先には憔悴《しょうすい》した祐理と、あざやかな銀髪の乙女がいる。

……まつろわぬアテナ。

ゴルゴネイオンを取り戻したアテナの姿だと、護堂は一目で理解した。

# 第7章　まつろわぬアテナ

1

夜目が利くとは言っても、昼間と全《すべ》て同じように見えるわけではない。

しかし、祐理《ゆり》の只《ただ》ならぬ様子に、護堂《ごどう》はすぐに気づいた。

「万里谷《まりや》、大丈夫か？　一体、何をされた？」

「された、というわけではありませんが……。アテナがゴルゴネイオンを取り戻す場に立ち合ったせいで、少し影響を受けてしまいました。お気をつけ下さい、アテナはもう以前のアテナではありません……！」

祐理はゴホゴホと咳《せ》き込みだした。

見るだけで心配になるような、ひどい咳だった。

護堂は駆《か》け寄って、背中をさすってやった。だが、一向に収まる気配がない。

「ああ、教えておいてやろう。その巫女《みこ》、妾《わらわ》の再臨《さいりん》に立ち合ったせいで、我が死の風を浴びた。そのまま放置すれば、死ぬぞ。先ほどのあなたのようにな」

どうでもよさそうに祐理を眺めていたアテナが、他人事《ひとごと》のように言う。

この物言いに、護堂はひどく苛《いら》ついた。

相手は神。

姿だけ人間と似てはいるが、精神の在りようも倫理観《りんりかん》も全《まった》く異なる存在なのだ。人間の尺度で量ってはいけない——それは十分に承知していたのだが。

「……エリカ、おまえに治せるか、これ？」

「無理ね、わたしはそこまで万能じゃないわよ。『剣』を使いなさい。あれならアテナの呪縛《じゅばく》でも切り裂けるはずだから」

背後に控《ひか》えるエリカへ問うと、簡潔《かんけつ》な答えが返ってくる。

すぐに護堂は、祐理の肩に手をかけた。

細い。

エリカも華奢《きゃしゃ》だが、あちらは非常識な強さを隠し持つ女騎士である。

この娘は見た目通りにか細い、巫女としての力を除けば普通の少女のはずだ。こんな負担をかけた自分と、そしてアテナに腹が立って仕方なかった。

「草薙《くさなぎ》さん、何をされるおつもりですか？」

不安げに見上げてくる祐理へ安心させるように、護堂は彼女の背を撫《な》でた。

輝《かがや》く黄金の剣を思い浮かべ、聖句を唱える。

「……我は言霊《ことだま》の技を以《もっ》て、世に義を顕《あらわ》す。これらの呪言は強力にして雄弁《ゆうべん》なり。強力にして勝利をもたらし、強力にして癒《いや》しをもたらす」

剣の言霊。

黄金の剣を振るい、祐理を蝕《むしば》むアテナの神力を断ち切る。これでもう心配はない。

「む？」

つまらなそうに顚末《てんまつ》を眺めていた女神が、かすかに眉《まゆ》をひそめた。

護堂はその美貌《びぼう》をにらみつけながら、強く言う。

「なあ、最後にもう一度だけ確認するぞ。俺はあなたが何もしないで帰るのなら、見逃してやろうと思っているんだ。どうだ、そのつもりはあるか？」

「そのように興のないことを申すな。妾は古き三位一体《さんみいったい》を取り戻したばかりでな、少しばかり遊んでみたいのだよ」

あろうことか、拗《す》ねた子供のようにアテナは言ってみせた。

そこまで人間を無視するか。

この瞬間、護堂の肚《はら》は固まった。いいだろう、やってやろうじゃないか。

「おお、何故《なぜ》かは知らぬがあなたの怒《いか》りを感じるな。どうだ、草薙護堂？　そろそろ妾《わらわ》を愉《たの》しませてくれぬか？　先刻は計略を以て出し抜いた。次は武を競うてみたい」

平然と祐理に死を吹き込み、玩具《おもちゃ》のように決闘をねだる。

アテナにとっては、ただの人間など足元の蟻《あり》とたいして変わらない存在なのだろう。死のうが生きようが、たいした問題ではないのだ。

「…………草薙さん」

祐理の弱々しい声に気づき、護堂は肩を抱く手に力をこめた。

自分のせいで、すっかり迷惑《めいわく》をかけてしまった。この娘の分まで、アテナにはきっちりと倍返しをしなくてはなるまい。

「万里谷はもう休んでてくれよ。あの女神様の後始末は全部こっちでやる」

「はい……。申しわけありません、私、実は草薙さんのことを見くびっていました。カンピオーネだといっても頼りない、しっかりしてない方だなって——」

「いや、まさにおっしゃる通りだから、全然見くびってるわけじゃないぞ」

「いいえ」

しっとりとした微笑を浮かべて、祐理は首を横に振った。

初めて見る、彼女のやさしい笑顔。

桜の花が淡《あわ》くほころぶような可憐《かれん》さに、思わず護堂はドキリとさせられた。

「あなたは私の危機に、ちゃんと駆《か》けつけて下さいました。まあ、ご自分で呼び込んだ神様が暴れたせいでもありますが、ちゃんと帳尻を合わせてくれる方なんだなって、すこし見直しました。——本当ですよ？」

「……あんまり見直してる言い方じゃないなァ、それは」

「そうでしたか？　なら、後でもっと気の利いた誉め方を考えて差し上げます。今は存分にお力をお振るいなさいませ。そのおつもりなのでしょう？」

やわらかく微笑《ほほえ》む祐理へうなずいてから、護堂は立ち上がった。

背後にいるエリカへ、鋭く言う。

「万里谷のことを頼む。おまえの誇りにかけて、この娘を守ってやってくれ」

「仰《おお》せのままに、我が君。——ようやくエセ平和主義を返上してくれたようね」

心得たもので、即座にエリカは答えた。

さすがは『紅き悪魔《ディアヴォロ・ロッソ》』。草薙護堂がチェスでいう王《キング》だとすれば、彼女こそが縦横無尽の騎士《ナイト》にして女王《クイーン》なのだ。

「エセを付けるな、俺は正真正銘《しょうめい》の平和主義者だ。ただ、仲間を殴《なぐ》られて黙《だま》ってるほど大人しい人間じゃない。アテナはここで叩く。万里谷の分まで、二倍にして殴り返してやる」

「それでこそ、わたしの護堂だわ。なら、これは勝利の前祝いよ」

不意に、エリカが身を寄せてきた。

護堂の顔を両手で抱え込むようにして、唇を唇に押しつけてくる。短いが、十分に熱く、濃《のう》厚《こう》な口づけだった。

——流れ込むアテナの知識。

今までつぎはぎだった智慧と戦いの女神、蛇とフクロウの地母神についての知識が完全になる。その瞬間、護堂の中に眠る『剣』も完全な威力《いりょく》を備えた。

「あなたの勝利を祈るわ。叩きのめしてきなさい、まつろわぬアテナを！」

いきなり、何て真似《まね》をするか。

文句を言いたくなったが、護堂は代わりに獰猛《どうもう》な微笑を無意識に浮かべた。

この贈り物は、正直ありがたい。

これで一〇〇％、最高の状態でアテナとの決闘《けっとう》に臨《いど》める。何と言っても、敵は欧州・アフリカ・オリエントの三界で最強を誇った女神なのだ！

静かにキレた護堂は、女神へ無造作《むぞうさ》に言い放った。

「あんたのご要望に応えてやるよ。この国から腕ずくで追い返してやる。俺に負けた後で、尻尾を巻いて逃げ出すといい！」

「善《よ》き哉《かな》！　ここで雌雄《しゆう》を決するか、神殺しよ！」

アテナは快哉《かいさい》を叫び、腕を振り上げた。

直後、闇の奥から数十羽のフクロウが羽ばたき、飛来する。

それだけではない。さらに数十四の蛇が群れをなして這《は》いずってくる。

フクロウは猛禽《もうきん》さながらの鋭い爪と嘴《くちばし》を持ち、蛇どもの体長はどれも五、六メートルを軽く超えている。見るからに毒蛇らしい、極彩色の鱗《うろこ》だった。

――まずは場所を変えるか。

すばやく考えた護堂は、アテナと距離を取るために走り出した。

かすかに漂《ただよ》う潮《しお》の匂い。

周囲の目立つ建物。

それらのおかげで、ここが大体どの辺りか見当はついている。

頭に思い描いた地図の中から、ちょうど良さそうな場所を見つけた護堂は、そこを目指して駆けた。

それを追って鳥と蛇の群れが一斉《いっせい》に移動をはじめ、女神自身もゆるゆると歩き出す。

「でかしたわね、万里谷祐理。あなたが体を張ってくれたおかげで、あの煮え切らない男もようやく本気で戦う気になってくれたわ」

残ったエリカは、うずくまる巫女装束《しょうぞく》の少女に微笑みかけた。

自分の紅《あか》いカーディガンを脱いで、肩にかけてやる。

もっとも、祐理の方はそれどころではないという風に険しくにらみつけてきたのだが。

「い、今のは何ですか、一体!? あ、あんな破廉恥《はれんち》な……いやらしい……」

ついさっきまで護堂に見せていた、穏やかな顔とは大ちがいの怒り顔だった。

憤懣《ふんまん》やるかたない様子で、文句を言おうとしている。

何が祐理の気に障ったのか理解できず、エリカは小首を傾《かし》げた。

「いやらしいって、何が?」

「だから、あれです！　その……キ、いえ、草薙さんと別れ際になさっていた、公序良俗《こうじょりょうぞく》に反するような、人前ですべきではないような、アレのことです！」

「もしかして、キスのこと？　ああ、本当はもうちょっと勿体《もったい》つけてからしてあげようと思ってたんだけど、仕方ないわね。時間もなかったし、久々に護堂も本気になってくれたし」

言葉の意味を勘ちがいしたエリカは、やや嚙《か》み合わない答えを口にした。

「観ているといいわ。ああなった護堂は、誰よりもえげつないんだから。勝つために全ての手《て》練手管《れんてくだ》を駆使して、アテナを攻略しにかかるはずよ」

なぜ礼を言われているのか吞《の》み込めない祐理へ、エリカはやさしく微笑んだ。


結局、体を使うことは何でも、走ることが基本だ。

フクロウと蛇の大群から逃げる護堂は、つくづくと思う。

今まで何度も危ない目に遭《あ》ってきたが、いちばん役に立つのはウルスラグナの権能《けんのう》よりも、親からもらった二本の足なのだ。

戦うにしても逃げるにしても、走れなければ始まらない。

そんな実感があるから、野球をやめた今でも、走り込みは毎日続けている。

いやな話だが、あまりにも荒事に巻きこまれる回数が多いので、つい体力作りなど考えてしまうのだ。実際、日々鍛《きた》えてなければ、ここまで走れない。

——とはいえ。

空から迫るフクロウや稲妻《いなずま》めいた速さで這い寄る蛇を振り切れるほどの、人間離れした走力はさすがにない。

しかも、いつのまにか数が増えている。

どこから出てきたのか、フクロウも蛇もすでに一〇〇を超える大群《たいぐん》にふくれ上がっていた。

「全ての邪悪なる者よ、我を恐れよ！　力ある者も不義なる者も、我を討つ能《あた》わず。——我は最強にして、あらゆる障碍《しょうがい》を打ち破る者なり！」

護堂が言霊を誦《しょう》すと、黄金の輝きが一瞬だけ閃《ひらめ》く。

ただそれだけで、殺到する寸前だったアテナの下僕どもは全て一斉に、首と胴《どう》を寸断されて塵《ちり》と消えた。

まともな生き物ではないせいか、ひとつも死骸《しがい》は残らない。

「ほう……。やはり、奇妙な武具を隠し持っているようだな。斬り裂くもの、断ち切る何か——剣か。剣の言霊か。なかなかに凝《こ》った趣向だな！」

後方から、余裕さえ漂わせてアテナの声が追いかけてくる。

言ってろ。

すぐに、この剣の厄介《やっかい》さがわかるようになる。

「ならば、妾《わらわ》もすこし遊ぶか。——かような石の都では、妾の権能もいささか振るいがいはないのだが、この程度の芸はできる。それ！」

「………そんなの、ありか？」

つい振り返ってしまった護堂は、背後の光景を見て呆《あき》れた。

アテナの足元。

固いコンクリートの路面が大きく隆起《りゅうき》し、女神を乗せたまま鎌首《かまくび》をもたげた。

そう、砂と砂利をセメントで凝固《ぎょうこ》させただけの冷たい物体が、見上げんばかりの高さにまで盛り上がり、巨大な蛇のように鎌首をもたげたのだ。

気づけば、コンクリート造りの大蛇《だいじゃ》が、ほんの数十秒で完成していた。

全長二、三〇メートルはある。

蛇の頭上には、銀髪をなびかせてアテナが直立していた。

これも神力なのか、単にバランス感覚が普通ではないのか、あんな不安定そうな場所で、優《ゆう》雅《が》に地上を見おろしている——。

「さあ、我が牙よ。神殺しを押し潰《つぶ》せ！」

アテナが立つ大蛇の頭は、首都高の高架線《こうかせん》よりも遥かに高い位置にあった。

「くそッ、好き勝手やりやがって！」

大蛇を生み出した後の路面は、ひどい有様だった。

コンクリートを根こそぎ剝《は》がし取ったため、まるで大河の水が干上がったように、深く長い溝ができている。

あの路《みち》を再び車両が走れるようになるまで、どれだけの時間と費用がかかることか。

護堂は愚痴《ぐち》りながらも走る。

もうすぐ。

もうすぐ完全に人のいない場所まで辿り着く。

この辺りにはまだマンションやホテルなどがあるので、周囲への被害がすこし心配なのだ。

汐留川《しおどめがわ》を越えると、背の高い木々が鬱蒼《うっそう》と生い茂《しげ》る森――都心の真っ只中《ただなか》のくせに、緑あふれる森が右手に見えてきた。

ここが護堂の目的地だった。

――浜離宮恩賜庭園《はまりきゅうおんしていえん》。

開園時間はとっくに終わっているから、無人のはずだ。広い庭園なので、アテナや自分が暴れても誰かを巻きこむ心配はない。

しかも、ここを囲む壁は低い。

身の軽い者なら、余裕でよじ登り、乗り越えることができる。

裏口をふさぐ申しわけ程度の柵《さく》を乗り越え、低い壁を登攀《とうはん》して不法侵入を果たす。

護堂は壁の上から、追いかけてくる大蛇を眺めた。

車道に放置されていた二輪や四輪車、電柱や歩道のガードレールを押し潰しながら、こちらを猛追《もうつい》してくる。

自分の姿を十分にさらしながら、護堂は庭園の中へ飛び降りた。

## 2

浜離宮恩賜庭園は、東京湾のすぐそばに位置している。

園内の池は海水を引き込んだものだ。

築地川《つきじがわ》をはさんだお隣には、築地の魚河岸《うおがし》と青果市場があった。

外壁に沿うようにして生い茂る園内の林を、護堂《ごどう》は早足で駆け抜けていく。

樹齢一〇〇年にも及ぶ松の大木なども混ざっており、土と緑の匂いが濃《こ》い。しかし、そこはやはり人工の庭園なので、五分も経たない内に林を抜け出すことができる。

海水をたたえる池のほとり。

十分に見通しのいい広場まで、護堂はやってきた。

静かにアテナを待つ。

あの女神に関する情報は、全て手に入れた。しかし、データだけで勝てるなら苦労はしない。重要なのは、むしろ相手の性格と状況だ。

勝負の流れを読み、敵を出し抜く。

野球をしていた頃の護堂は、大胆《だいたん》なリードと駆け引きに定評のある捕手《ほしゅ》だった。逆に打席では、鋭い読みと思い切りの良さで打点を生み出す勝負強い打者だった。

細かに敵を洞察《どうさつ》し、臨機《りんき》応変に対応する。それが習い性になっているのだ。

結局、勝負事ではその場の判断が物を言う。

どれだけ綿密な戦略を立てても、勝つとは限らない。

どれだけ強くても、勝つとは限らない。

正しいから、強いから勝つのではない。勝ったヤツが強くて正しいのだ。

あるいはこの信念こそが、護堂に数々の巨人殺し《ジャイアントキリング》をなさしめてきた最大の要因なのかもしれなかった。

「ここが、あなたの選んだ戦場か。ずいぶんと貧相な森よな。人間どもはよくこんな小賢《こざか》しい真似《まね》をするが、この島の民は別してそうだ。妾もさまざまな国を渡り歩いてきたが、これほど大地を石で蔽《おお》い、闇を拒《こば》む民も珍しいぞ」

石造りの大蛇に乗って、ついにアテナも追いついてきた。

背の低い壁を薄紙《うすがみ》のように叩き壊し、松林を蛇体で押し潰しながらの登場だった。

「文明批判はよそでやってくれ。ロハスな生活が好みなら、とっととヨーロッパの山奥に帰るんだな。俺は夜中に本も読みたいから明かりは欲しいし、野菜を安定供給するためには適量の農薬だって必要なんだ。女神さまのワガママにつき合ってられるか」

「それが人間どもの傲慢《ごうまん》さなのだよ。朝が来れば起き、夜が来れば眠ればよい。大地の恵む糧《かて》だけで満足し、奢侈《しゃし》を望まねばよい。糧が尽きれば死の連環《れんかん》を受け容れ、我が冥府《めいふ》の門をくぐればよい。それだけの話ではないか？」

「さすが女神の中の女神だな……。マリー・アントワネットより質《たち》が悪いぞ」

ひどい理屈に、護堂は思わずつぶやいた。

まあ、かの名言『パンがなければお菓子を食べれば～』は後世の創作なのだとよく言われるが……。

「さて、話はここまでだ。出会えば戦い、互いを討滅《とうめつ》し合うのが我らの逆縁《ぎゃくえん》。あなたと妾、どちらの武《ぶ》が上か、はっきりさせようではないか」

優雅とさえいえる口調で、アテナは告げる。

それを合図に、コンクリートの大蛇が護堂の小さな体めがけて這い寄ってきた！

巨体で踏みつぶすつもりなのだ。

いくらカンピオーネでも、あんな重量の物体でミンチにされれば復活しようもない。

護堂は慌てて飛びのいた。

そろそろ、本格的にあれを抜かなければ死んでしまう。黄金の剣──『戦士』の化身だけが持つ、神を断り裂くための武器を。

「蛇か──。あなたの力の象徴、いや、あなたの本質そのものだな」

言霊を込めて、護堂はささやく。

これこそが剣。神を断り裂く智慧《ちえ》の剣。

「あなたは常に、蛇と関わりの深い女神だった。さらに言えば、フクロウ──鳥とも」

「ほう？　草薙護堂《くさなぎごどう》よ、あなたは我が出自《しゅつじ》を学んだのか？」

「必要だったからだよ。いまの俺は、あなたがどういう神なのか、かなり把握《はあく》できている。あなたを読み解く鍵になるのは『蛇』だ」

燦《きら》めく。

護堂の周囲で、黄金の小さな輝《かが》きが天の星々のように次々と燦めき出す。

「蛇といえばメドゥサだ。アテナとメドゥサは、もともと同一の女神だった。二柱の女神が異邦──北アフリカの大地からギリシアに招来される前の話だ」

アテナの駆る大蛇が草の茂《しげ》み、広場の土を挽《ひ》き潰しながら迫る。

その蛇行《だこう》する様は、さながら地を流れる大河であった。

「元を辿《たど》れば、あなたこそが蛇の魔物――いや、蛇の女神だったんだ。それだけじゃない。ギリシア神話ではアテナの母とされる智慧の女神メティス。この女神も、元はあなただった」

護堂を押し潰す寸前で、大蛇の前進が止まった。

自ら止まったのではない。

護堂を取り巻く黄金の光が、大蛇の巨体を食い止め、押し戻しているのだ。

光が触れた部分の蛇鱗は、鋭利な刃物に触れでもしたかのように、ざっくりと斬り裂かれていた。

「剣の言霊!? 先ほどの武具か!」

「あなたはギリシア出身の女神じゃない。北アフリカで生まれ、地中海の全域で崇拝《すうはい》されるようになった大地の女神だ。そして多くの別名と姿を持つ。メティス、メドゥサ、ネイト、アナタ、アトナ、アナト、アシェラト――彼女たちは皆、あなたという原初《オリジナル》のアテナから産まれた分身、姉妹と言ってもいい」

ついに、護堂は完全に『剣』を抜いた。

抜きざまの一閃《いっせん》で、一筋の光が燦めく。閃光はアテナの乗るコンクリート製の蛇体を存分に薙《な》ぎ、まっぷたつに両断してのけた。

蛇の半身を形作っていた石と砂利《じゃり》の固まりは、轟音《ごうおん》を立てて地面に落ちていった。

軽《かろ》やかな身のこなしで、アテナもひらりと降り立つ。

「不快だぞ、草薙護堂！　妾《わらわ》を暴き立て、切り刻む『剣』！　忌まわしき過去を思い起こさせてくれるな！」

華麗《かれい》な着地とは裏腹に、憤怒《ふんぬ》に満ちたアテナの顔。

ウルスラグナ第一〇の化身たる『戦士』。

この化身だけが使える『剣』の恐ろしさを、ようやく呑み込めてきたのだ。

「あなたはエジプトのイシスやバビロニアのイシュタルと同じ祖《ルーツ》を持つ、古き太母神の末裔《まつえい》だ。そもそもは大地の女神でありながら、同時に冥府を支配する闇の神でもあった。また、天上の叡智を司る智慧の女神でもあった」

護堂がささやくたびに言葉は言霊となり、言霊は黄金の光となる。

この光が鋭い刃となって、女神の体を斬り裂くのだ。

怒れるアテナの美貌から余裕が消えた。

「三つの属性を常に併《あわ》せ持つ、三位一体の女神——。それがアテナの特徴なんだ。戦神としての特性は、時代が下るにつれて付加されたものだろう。死をもたらす冥府神が最大の災厄《さいやく》である戦争と結びつき、やがて闘争の神となる。ごく自然な流れだからな」

「利いた風な口を、よくもべらべらと！」

アテナの手に、長弓と矢が現れた。

弦《げん》を引き絞《しぼ》り、矢を放つ。さすが戦神だけあって、護堂の額《ひたい》めがけて正確に飛んでくる。

しかし『剣』の光が閃き、矢を打ち落としてしまった。

「そして、あなたの三位一体を生み出す鍵こそが『蛇』だ！」

「言うな！　妾《わらわ》の過去、あなたごときに嬲《なぶ》られるほど安くはないぞ！」

今度は、アテナの右手に四本の矢が同時に現れる。

それを全て長弓につがえ、同時に撃《う》つ。

あやしくも見事な弓の妙技。

が、その矢の悉《ことごと》くが『剣』に弾かれ、地に落ちた。

「豊穣の大地を象徴する生物には『牛』や『羊』、『豚《ぶた》』もいる。実際、あなたは雌牛《めうし》を化身とする地母神でもある。——だが、あなたの本質は『蛇』だ。蛇こそがアテナを古きアテナたらしめる鍵となるんだ」

今や無数の光を率いる護堂は、さらにささやいた。

敵とする神の性質を真に理解したとき、『戦士』の化身を使えるようになる。

言霊を黄金の光に変え、神の肉体と神力を斬り裂く『剣』の権能。

まさに攻防一体の切り札であった。

「なぜなら、あなたは大地の恵みだけを司る女神じゃないからだ。誕生した命は、成長し、熟成し、衰え、そして死ぬ。四季もそうだ。春に生まれ、夏に盛り、秋に実り、冬に枯《か》れる」

業《ごう》を煮《に》やしたアテナが、手に反り身の大刀を構えて突進してきた。

『剣』の光に斬り裂かれながらも強引に、果敢《かかん》に距離を詰める。

アテナの強烈で、鋭い斬撃。

それを護堂は、余裕さえ持ってかわしてみせた。

なんとなく、神の動きが読めるのだ。これも『戦士』の化身が持つ能力だった。

「大体、古代世界で必ず地の恵みを得られるはずがない。天災や異常気象でもあれば、それだけで収穫の大半は失われる。――地母神は恵みをもたらすだけじゃない。冬が来れば命を奪い、気まぐれに災いをもたらす凶神でもあった。そうでないと、つじつまが合わない」

護堂は手近な『剣』を操って、アテナに叩きつけた。

光が一閃、二閃、三閃と立て続けに燦《きら》めく。

「クッ……！」

言霊の斬撃を避けるために、アテナは後ずさった。

「だから『蛇』なんだ。幾度《いくど》も脱皮し、冬眠と目覚めを繰り返す『蛇』は、死と再生の循環《じゅんかん》、季節の移ろいを象徴できる生き物だ。豊穣と慈愛《じあい》の象徴である『雌牛』よりも、命の恵みと禍々《まがまが》しい死の双方をもたらす神にはふさわしい」

古代人にとって、蛇ほど妖しい、神秘に包まれた生物は稀《まれ》だったはずだ。

脱皮を繰り返し、抜け殻を捨て去る。冬は長い眠りにつき、春にはまた目覚める。死からの復活さながらである。

冬と春の狭間《はざま》を軽々と飛び越す、不死の神。

冬――すなわち死をもたらす神は、自然と冥界に属する神にもなる。

これこそが、アテナと『蛇』が大地の女神でありながら冥府神でもある理由であった。

そして、古代人の想像する冥界は、おおむね暗い地底に存在する。

闇に閉ざされた、冬の世界。

同じように闇が支配する時間——夜も冥界の一部として恐れられるようになる。それゆえに
アテナは闇の女神にもなるのだ。

「我は言霊の技を以て、世に義を顕《あらわ》す。これらの呪言は強力にして雄弁なり。勝利を呼ぶ智慧
の剣なり。——どうだ、アテナ？　これはあなたを、あなただけを滅ぼす剣だ。こいつを使っ
て、俺は必ず勝利する」

護堂は言霊を吐きながら考える。

切り札は存分に見せつけた。これでアテナはどう出る？

傾きかけた形勢を一気に五分まで戻せたが、本来の力量では女神の方が圧倒的に有利なの
だ。今のように激昂《げっこう》したまま戦ってくれれば、つけこむ余地も増えるのだが。

「……あなたを見くびっていたぞ、草薙護堂」

静かにアテナがつぶやく。

さすが智慧の女神。もう冷静さを取り戻した。

仕方ない。神様を相手に戦うのだから、やはり楽はできないか。

「若くとも、未熟であっても、あなたは魔王の端《はし》くれであった。我ら神々を討つ権能の簒奪者《さんだつしゃ》
であった。——今の言霊で、妾《わらわ》も理解したぞ」

アテナの鋭く、抉《えぐ》るような視線が護堂を捉える。

「ウルスラグナだ！　あなたが殺《あや》めた神は、ウルスラグナだな！　遥か東方のインドラ、我が同朋へラクレスともつながる征服神。新たな神王に仕え、その矛《ほこ》として古き神々を倒す『まつろわす神』！」

ゾクリと、護堂の背筋《せすじ》が震えた。

女神が本当に舐《な》めるのをやめたのなら、とてつもなく恐ろしい敵になる。

……だが、本当か？　本当に人間風情《ふぜい》と真剣に戦えるのか？　ここが勝負の分かれ目だ。

「かの軍神は、古き神々の討伐者《とうばつしゃ》。あなたがウルスラグナを殺めたのなら、神殺しの剣を操るのも道理よな。……だが、それだけではあるまい？」

アテナはきつい視線のまま、微笑んだ。

「ウルスラグナは勝利の神にして、王権と民衆の守護者でもある。ペルシアの主神ミスラの懐《ふところがたな》刀だ。ミスラは太陽の化身であり、故にウルスラグナも太陽と結びつく」

見透かしている。

アテナはもう、護堂が持つ真の切り札を見透かしている。

智慧の女神としての神力なのか？　異邦の神が持っていた属性まで瞬時に把握《はあく》するとは、反則もいいところだ。これは参った。

「あなたがどこまでウルスラグナの権能を掌握しているかは知らぬが、太陽に関わる神力も所有するはずだな。妾の闇を駆逐《くちく》するには、太陽の光こそが望ましかろう」

アテナの双眸《そうぼう》が、わずかに細くなる。

闇そのものを塡《は》め込んだかのような漆黒《しっこく》の目が、視界におさまる全てを冷たく見下す。

——邪視《じゃし》か！

「実に穢《けが》らわしき、そして恐るべき『剣』よ。だが、あなたはそれを露骨《ろこつ》に使いすぎる。妾《わらわ》を怒らせ、隙を作らせたいのだろう？　わかるのだよ、草薙護堂」

石。

石。石。石。石。石。石。石。

アテナの視界内に入るとおぼしき物は、全て石に変じていた。

踏みしめる地面も石になっていた。風にそよぐはずの下生えの草も、可憐《かれん》な花弁を持つ小さな花も、冷たい石になっていた。

生い茂る木々も石。海水をたたえる池の水面も石。

見る者全てを石に変えたというメドゥサの邪眼を、アテナは行使したのだ。

「かりそめの死、石の棺《ひつぎ》——これもまた、古き母の力だ。……おお、さすがは神殺し。よく持ち堪《こた》えておる。やはり、あなたたちには体内に言霊を吹き込まねば駄目か。厄介よな」

護堂の体も、足元から膝までが石化していた。

だが、周囲の全ては完全に石の骸《むくろ》である。それに比べれば被害は軽い。

アテナはおそらく、視界内に存在する万物を石化できるのだろう。この力を使えば、東京の全てを石の都に変えることもたやすいはずだ。

護堂は慄然《りつぜん》とした。

この女神を、何としても食い止めなくては大惨事《だいさんじ》になる！

「邪眼を持つ『蛇』の女神メドゥサは、あなたが『鳥』とも結びつくことを明確に証明する神格だ！」

『剣』へ新たな言霊を吹き込み、加速させる。

乱舞する黄金の太刀筋《たちすじ》。

光が奔《はし》るたびに、石と化していた物体は呪縛を解かれ、元の姿を取り戻した。

「メドゥサを含めたゴルゴン三姉妹は、蛇を髪とするだけじゃない。その背には黄金の翼を生やしていた。次女の名前エウリュアレの意味は『遠くへ飛翔《ひしょう》する者』。そして末妹メドゥサは、翼を持つ天馬ペガサスの母でもある！」

地中海地方に伝わる古典的なメドゥサの肖像《しょうぞう》がある。

そこでは、この女神は両手に蛇を摑み、頭に鳥を載せた姿で描かれる。蛇と鳥との関わりを、あからさまに明示しているのだ。

「あなたが鳥と結びつくのは、大地と冥界――二つの世界を支配する神だからだ。鳥には異界と現世を往き来する飛翔の魔力がある……遙かな昔、俺たちの祖先はそう信じていた。死者の霊は鳥の姿となって天へ上り、あるいは鳥に導かれて冥府へ渡るものだった」

石の固まりになっていた護堂の足が、やわらかな肉に戻っていく。

血の巡りが回復していく。

「だから、地上と冥界を渡り歩くために、アテナが鳥とも一体化するのは必然なんだ。あなたの本質は『蛇』──それも『翼ある蛇』だ！」

「妾《わらわ》を切り刻み、辱《はずかし》め、冷静さを奪おうとしておるな。その手には乗らぬよ」

護堂が『剣』を使えば、アテナも邪視を強める。

石となった大地を黄金の剣が元に戻せば、黒き邪眼が再び石に戻す。

睨《にら》み合う両者の周囲で、世界は何度も灰色の石となり、そして緑と土の色彩を回復させた。

「原初のあなたは、翼を持つ蛇だった。まだ神々が名前を持たなかった時代に、古代人が崇めた生命と死の女神だ。翼ある蛇が時を経て洗練された姿が、まつろわぬアテナなんだ」

「黙るがいい！　あなたの策に意味はない！」

刃を交えぬまま、戦いは熾烈《しれつ》さを増していく。

しかし、なかなかアテナは隙を見せない。護堂はひそかに舌打ちした。このまま消耗戦《しょうもうせん》になれば、莫大《ばくだい》な神力を持つ女神の方が有利だ。

護堂の理想はカウンターだった。

自分よりも敵の方が強いのだから、まず相手に攻め込ませ、疲れさせて、隙ができたところを逆襲する。とどめを刺すための切り札もある。

『剣』の言霊があれば、鉄壁の防御を敷ける。十分に勝算はあった。

だが、アテナはその意図に気づいている。だから、邪視などという煮え切らない手で護堂を牽制《けんせい》している。

——仕方ない。リスクを冒《おか》さなければ、勝機も見えない。

ここで『剣』を使い切る。護堂は肚《はら》を据《す》えた。

「大地と冥界を統べ、天上の叡智まで司る蛇の女神は、まちがいなく神々の中でも至高の存在だったはずだ。何者も及ばない、神の中の神。最高の権威《けんい》を持つ、神々の女王だ」

攻防一体の『剣』を使える『戦士』は、神と戦うときは最強の化身である。

だが、実は大きな制限がある。

『剣』の言霊は、無制限に使えるわけではない。使えば使うほど切れ味が鈍り、なまくらになっていく。こういうところだけ現実に近いのだ。

そしてウルスラグナの権能では、ひとつの化身を連続使用できない。

丸一日は置かないと、再び同じ化身を使うことはできなかった。このルールがある以上、護堂に力押しのパワープレイは許されない。

「その昔、古代世界の頂点に君臨《くんりん》するのは女性だった。神に仕え、人々を統治するのは女王の役割だった。だから神々の長も女神——翼ある蛇の女神だった。だが、彼女たちが至高の座を逐《お》われる時が来る。武力を持つ男たちが謀反《むほん》を起こし、女権社会が終わったからだ」

護堂はつぶやき、最強の『剣』を精錬《せいれん》する。

ここで全ての言霊を使い、アテナの神格に大きな瑕《きず》を穿《うが》つ。

それを足がかりに、攻略を果たす。

戦いのプランなど、いくらでも狂っていく。重要なのは、臨機応変に修正することだ。

「女王の時代が終わり、王の時代が始まった。同時に至高の神も、母なる地母神から厳格な父神へと成り代わった。ゼウスをはじめとする、神王の誕生だ」

いま目の前にいるのは、かつて地中海に君臨した神界の女王だ。

そう、かつての女王。

落魄《らくはく》し、まつろわされた女王。

その過去を暴く言霊こそが、アテナにとっては最も鋭い利剣となる。

「古きアテナとその分身たちは、王である神の妻、妹、あるいは娘におとしめられ、かつての栄光を失った。神話の改竄《かいざん》が行われたんだ」

「…………黙れ」

静かな怒りをこめて、アテナがつぶやいた。

「アテナは王の娘となった。メティスは陵辱《りょうじょく》され、智慧だけ奪われた。メドゥサは魔物にまで墜《お》とされた。それだけじゃない。ギリシア神話のヘラもアルテミスもヘカテーも、全て敗北した地母神だ。あなたと起源を同じくする、生命と死の女神たちだ！」

「黙れと言っている！　その言霊、まこと穢《けが》らわしい！」

アテナが怒っている。

これはいい兆候だが、まだ我を忘れるほどではない。だったら、計画通りに斬撃を喰らわせてやる。

「敗れた地母神は、翼ある蛇として神話で語られるようにもなる。翼ある蛇——つまり、竜だ。数々の英雄神話に登場する、邪悪な竜。英雄や神に退治される竜たちは、敗北した地母神をおとしめ、おぞましく描いた姿だ！」

悪しき魔物であった故《ゆえ》に討たれたのではない。

勝者の側が、邪悪な魔物だから滅ぼしたと物語を捏造《ねつぞう》しただけなのだ。

こうして翼ある蛇は聖獣から魔獣へと堕落《だらく》し、地母神の神性は根本から否定される。故に、この言霊はアテナを引き裂く凶猛《きょうもう》無比な『剣』となる！

黄金の光が全て、護堂の右手に集まった。

長大な剣の形に凝《こ》り固まった輝きを振りかざし、護堂はアテナへと迫る。

この剣を止めたのは、アテナが生み出した漆黒の鎌《かま》だった。

あらゆる光を吸い込む、闇の刃を持つ死神の鎌。

光の刃と黒き鎌を間に挟み、護堂とアテナはついに真っ向から激突を果たした。

## 3

黄金の剣と闇の鎌がぶつかり合い、軋《きし》みを上げる。

同時に、アテナの足元から闇が広がっていく。

——寒い。

闇の拡散と同時に、気温まで下がりだした。

いきなり真冬が来たかのような、肌を切る寒さだった。

「その一刀を受けるわけにはいかぬな。いかな不死の妾《わらわ》といえども、直に神格を斬られては堪《たま》らぬ。暗き禁忌《きんき》の力を以《もっ》て、打ち破ってみせよう！」

アテナは黒き鎌を握る腕に、力をこめる。

黄金の剣を押し戻そうと、あらん限りの神力を燃やしている。

いつのまにか、広がる闇が夜空を覆い隠し、月と星々の光さえも消え失せた。混じりっけなしの暗黒が辺りを包み込んでいく。

黄金の剣以外、一筋の光も許さぬ闇。

それでも、護堂《ごどう》の目は深淵《しんえん》のような暗闇を見通せる。――だから、驚愕《きょうがく》した。

周囲に生える草や花が、あっという間に枯れ果てた。

木々もしぼんでいく。

大樹も小木もことごとく萎《な》え、一瞬で実は塵《ちり》となり、枝はしおれ、幹は干涸《ひか》らびた棒きれのように縮んでしまった。

夜鳴きする虫の音まで消えた。

――これは『死』だ。

滅びと死をもたらす、冥府神としての力。アテナは黒き鎌に、自身が持つ最も危険な神力を注ぎ込んでいるのだ。

「妾は冬を招き、死を振りまく者。冷たい冥府の支配者。刈り取り、奪いさる略奪《りゃくだつ》の女王。

その姿が命ずる。草薙護堂《くさなぎごどう》よ、死せる王となり、骸《むくろ》をさらせ！」

鎌で黄金の剣を押し返しながら、アテナが言った。

その言霊が耳から侵入し、護堂を蝕もうとする。体が冷たくなっていく。

――冗談ではない。

こんなところで打ち負けてたまるか！

いま、剣と鎌は鍔《つば》迫《ぜ》り合いの格好になっている。護堂はイメージを切り替えた。

アテナを斬るつもりだったから、鎌で受け止められた。だが、この黒き鎌もアテナの一部なのだ。だったら、『剣』で諸共《もろとも》に斬り裂けるはずではないか。

これはアテナを――アテナだけを倒す、必殺の『剣』なのだから！

斬。

黒き鎌ごと、護堂はアテナを斬った。

言霊の刃を通して、女神を構成する神格の感触が伝わってくる。

大地、闇、叡智、蛇、鳥、雌牛、女王、老婆、恐るべき女、生まれ変わる女、不死――。

その全てを、護堂は深々と斬り裂く。

同時に、『死』の言霊をしたたかに浴びた。


どれほど意識が飛んでいたのだろう。

数秒か、あるいは数分か。気づけば、護堂もアテナも地に倒れ伏していた。

四肢《しし》に力をこめ、護堂は必死に立ち上がろうとあがく。

一応ダブルノックダウンの状況だが、これでアテナが倒せたわけではない。斬った当人が、誰よりもそれを理解していた。

案の定、アテナもよろよろと身を起こしにかかった。

傷跡らしきものは見当たらない。まあ、体の芯《しん》に残るダメージは快復し切れないだろうが。

「やっぱりダメか。あれで勝てれば助かったんだけどな」

「バカを言うな。妾《わらわ》を蛇の女神と言ったのは、あなただぞ。どんな深傷《ふかで》を負っても、蛇と女は死なぬものだ。たとえ死しても、何度でも甦る」

脱皮し、再生する蛇。月経で大量の血を流しながらも死ぬことのない女性。

どちらも不死の象徴だ。

だが、自慢げなセリフとは裏腹に、アテナの顔は蒼白《そうはく》である。

対する護堂も、死の言霊を受けて消耗《しょうもう》が激しい。外傷はないが、生命力をごっそりと削《そ》ぎ取られた気がする。

結局、両者共に満身創痍《まんしんそうい》で向かい合っていた。

「さて、これであなたは『剣』を使い切ったな。妾にはわかっておるぞ」

嫌な事実をアテナに指摘された。

その通りなのだ。渾身《こんしん》の一刀で黄金の『剣』はなまくらになった。

もう護堂に攻防一体の武器はない。

「となれば、あなたは太陽の力を行使したいはず。……ウルスラグナの化身の中で、太陽と最も強き縁を持つのは『馬』だったな」

こちらの戦力を、正確に把握している。智慧の女神と戦う難しさを痛感し、護堂はため息をつきたくなった。

だが、そんな暇《ひま》は当然ない。

アテナが音もなく近づき、再び黒き鎌で襲いかかってきたからだ。

かろうじて、護堂はこれをかわす。

続く第二撃。

肩の皮を斬り裂かれた。

第三撃。

危うく足首を刈り取られるところだった。

剣の力は失ったが、『戦士』の化身のままだ。アテナを深く理解し、動きの先を読む。この能力はまだ健在だった。

だから、何とか決定的な攻撃を避けることはできた。

――無論、このまま反撃できなければ、すぐに追い込まれるだろうが。

こちらに相応の攻撃力がなければ、実は防御に徹《てっ》する意味などないのだ。反撃を受ける不安がなければ、敵は痛打を与えるまで攻め込むだけで良いのだから。

鎌で斬りつける。薙《な》ぐ。打ちかかる。

避《よ》ける。避ける。避ける。

一方的にアテナが攻め、護堂はひたすら逃げ続けた。

「どうした、草薙護堂よ。『馬』の力は使わぬのか？　おそらく、妾《わらわ》を倒し得る唯一の武器ではないのか？」

嘲《あざけ》るようにアテナが言う。

そこまで言われて、誰が使うか。どうせ、何らかの防御策を用意しているのだろう。

護堂は胸のなかで毒づきながら、勝算を弾き出そうと必死になった。

アテナと接近戦を続けても、勝ち目は万に一つもない。

これについては断言できる。

野球やフットサルで勝負してくれるのなら話は別だが、草薙護堂に武芸の素養はない。身体能力だけで勝てる相手でもない。

こういうとき、いつもは頼りになる相棒《あいぼう》が楯《たて》になってくれる。

獅子《しし》の魔剣を片手に、紅と黒《ロッソネロ》の上衣を颯爽《さっそう》となびかせて割り込んでくる。

だが今、彼女はいない。

あの目立ちたがりが、絶好の見せ場に現れないのは何故《なぜ》だ？

自分とアテナを見失ったのか。いや、そんな不手際をするヤツじゃない。願わくば、護堂が期待する理由で割り込まないのだと信じたいところだが。

……そこまで思考が進んだ瞬間、アテナの鎌が眼前まで迫っていた。

護堂はとっさに跳びすさり、直撃を免《まぬが》れようとした。

だが、かわし切れない。

胸元を斬り裂かれ、鮮血が飛び散る。致命傷《ちめいしょう》ではないが、かなりの深傷になった。

——そして護堂は確信した。

この期《ご》に及んでも、助けが来ない。

つまり、相棒は護堂の期待をちゃんと見抜き、然《しか》るべき時が来るのを待っているのだ。ならば、ここを凌《しの》げば必ず勝てる……！

「ちょこまかと、よくかわす！　往生際が悪いぞ、草薙護堂よ！」

矢継ぎ早に振り下ろされる鎌を、護堂はゴロゴロと転げ回りながら避け続ける。

あちこち斬られて、傷だらけになった。

それでも、急所だけは守る。

血と土で汚れながら、地面を這《は》いずり回る。みっともない姿だったが、これでいい。要は、死ななければいいのだ。

護堂は、ようやく逃げるのをやめた。

震える足で立ち上がる。

確信が持てた以上、あとは賭けに出るだけだ。エリカなら、必ず護堂の期待通りに動いてくれるはず！

「あなたが言った通りだ。太陽を象徴する化身が、俺にはまだ残っている」

東の空を指さしながら、護堂は言う。

イメージするのは白き雄馬《おうま》。太陽の光を浴びて、真っ白に輝く悍馬《かんば》の雄姿《ゆうし》。

「我が元に来たれ、勝利のために。不死の太陽よ、我がために輝ける駿馬《しゅんめ》を遣《つか》わし給え。駿足にして霊妙なる馬よ、汝《なんじ》の主たる光輪を疾《と》く運べ！」

ウルスラグナ第三の化身『白馬』。

古来、『馬』は太陽神と密接に結びつく獣《けもの》だった。

馬車に乗り、東から西へと空を駆《か》ける太陽神――これは、多くの文明で普遍的《ふへんてき》に見出せる伝承である。オリエント、インド、北欧、中国、バビロニア。いずれも例外ではない。

ギリシアの太陽神アポロンもそうだ。

彼と習合したペルシアの光明神ミスラも、同様の神話を持つ。

ならば、ミスラに仕えるウルスラグナが化身する白馬も、太陽を運ぶのが道理！

「おお――やはり、来るか。忌々《いまいま》しき駄馬《だば》め！」

東方を見やり、アテナが呻《うめ》いた。

そう、一切の光を封じるはずの闇の中で、東の空だけが紅く燃えていた。

陽が昇ろうとしている。

暁《あかつき》の曙光《しょこう》が東の空を薄紅《うすべに》に染め上げている。

時刻はまだ深夜零時《れいじ》。夜明けが来るのは、五時間以上も先の話だ。

だというのに今、空は明るい。

これこそ『白馬』の化身が持つ、太陽を呼ぶ力だった。

「本当なら、この化身がいちばん使いづらいんだ。ただ、今回はあなたがやりすぎたおかげで問題なかった。──何しろ『民衆を苦しめる大罪人』にしか使えない化身だからな」

闇の世界を創り出したアテナは、この条件に十分当てはまる。

……自分を標的にすれば、実はいつでも使えそうな気もする護堂だったが、そこは敢《あ》えて無視してうそぶいた。

「いくぞアテナ！　闇を蹴散らす太陽の火を、たっぷり味わえ！」

光の箭《や》が、太陽神の長槍が、天空から降る。

アテナとその周り十数メートルの一帯が、白い閃光《せんこう》に呑み込まれた。

咎人《とがびと》を灼《や》き尽くす清めの焔《ほのお》だった。

遥か東の空より天かけて、超々高熱のフレアが地上に舞い降りてきたのだ。

「オ、オオオオオオオオッッッッ!!」

さすがのアテナが、苦悶《くもん》の絶叫をあげる。

夜を追い散らし、冥府神に取って代わる太陽王の焔《ほのお》は、この女神の天敵と言えるだろう。

しかし──。

「ク、ハハハハハ！　妾《わらわ》を舐《な》めるな、草薙護堂よ！　先刻、言ったであろう。すでにこの手は読んでおったと！　所詮《しょせん》は苦し紛れの一手だったな！」

アテナの周りを、闇の壁が守っている。

あらゆる光を遮断《しゃだん》する、黒き障壁《しょうへき》。

かろうじて、それで白き焔を阻んでいる。おそらく、このために闇の神力をひそかに蓄え、隠し持っていたのだろう。

このまま焔の燃焼が終わるまで、アテナが身を守り切れるならば――。

闇の地母神を倒し得る化身は、おそらくない。そして焔が消えれば『白馬』の化身も解け、草薙護堂も異能を失うのだ。

だが、護堂は首を横に振った。

「いいや。舐めているのは、あなたの方だ。俺のことは別かもしれないけど、やっぱり舐めているだろ。――人間のことを」

闇の彼方から、一筋の光が護堂の足元に飛んでくる。

光の色は銀。

銀に輝く、清冽《せいれつ》な刀身を持つ長剣だった。

クオレ・ディ・レオーネ。護堂の相棒である少女が振るう、獅子の魔剣。

銀の剣は、護堂の足元に深々と突き刺さった。

「この戦いの間、エリカのことをずっと忘れていただろう？　もしちがうのなら俺の負けだけど、そうじゃないよな？」

護堂はクオレ・ディ・レオーネを抜き取った。

「迂闊《うかつ》だったな、アテナ。あいつの剣は特別製だ。絶望の言霊とやらを吹き込めば、神様だって倒せる魔剣になる。いつものあなたなら耐えられるかもしれないけど、全力で太陽から身を守っている最中なら、どうだ？」

　白き焰は闇に阻まれ、女神の玉体には届かない。

　しかし、アテナの顔には隠しようのない焦《あせ》りが現れる。

　――さっき、鎌で護堂を追いつめているときにエリカが割り込んでいれば、当然クオレ・ディ・レオーネの存在を思い出しただろう。それを念頭に置いて戦ったはずだ。

　だから、エリカは護堂の窮地《きゅうち》にも姿を見せなかった。

　だから、護堂はエリカの思惑《おもわく》を読み、賭けに出ることができた。

　全てはこのタイミングで、クオレ・ディ・レオーネを新たな切り札とするために。

「打ち合わせなしの共同作戦だったけど、上手くいって助かった。エリカのヤツ、ちゃんと出番を待っていてくれたしな」

　闇の向こうから愛剣を投げてくれた察しの良さは、さすが相棒と誉《ほ》めるしかない。

　護堂はゆっくりとアテナに近づいていった。

　しかし、このまま斬りかかると自分も灼《や》かれてしまう。

　焰が収まるまで待つか。

　そう思った瞬間、クオレ・ディ・レオーネは勝手に投げ槍の形へと姿を変えてくれた。エリカが魔術をかけてくれたのか。

なるほど、これで串刺しにすれば近づく必要はない。

至れり尽くせりのフォローに、護堂はニヤリと微笑《ほほえ》んだ。

「今度こそ、締めの一撃だ。受けてみろ、アテナ！」

大きく振りかぶり、槍を投じる。

投槍となったクオレ・ディ・レオーネは銀の流星となり、あやまたずアテナの胸を貫《つらぬ》いた。

女神もろとも銀色の槍も、白き焔の中で灼かれていく。

だが構うまい。

あの剣は不滅の鋼。たとえ焔に溶けて融解しようとも、不死鳥のように甦るはずだ。

「まつろわぬアテナを出し抜くか、草薙護堂！　おのれ、魔王の忌《い》み名に恥じぬ男め！」

「人のせいにするな！　あなたが勝手に人間を見くびって、自滅しただけだ！」

銀の一撃を受けて崩折《くずお》れたアテナは、そのまま白き焔に呑み込まれていった。

4

数分後、ようやく白き焔は燃え尽き、東の空から曙光も消えた。

元通りの闇が戻ってきた。

そう、数え切れないほどの街灯《がいとう》が夜の路と街を照らし、ビルの窓から洩《も》れる明かりも下界を照らす——元通りの半端《はんぱ》に明るい闇が。

護堂《ごどう》はふうと息をついて、夜空を見上げた。

半分の月とまばらな星が輝いている。

お世辞《せじ》にも美しいとは言えない東京の夜空だが、十数年も慣れ親しんだものだ。これはこれで悪くない。

ともかく勝負は終わった。

帰って風呂に入って、ゆっくり寝よう。後始末のことはそれから考えればいい。

「どう、護堂？　さっきの戦い、助演女優賞ぐらいは貰《もら》ってもいいいと思うけど」

惨憺《さんたん》たる有様の決戦場に、ふたりの少女が入り込んできた。

ひとりは軽口を叩く金髪のイタリア人。もうひとりは何やら深刻そうな表情をした、巫女《みこ》装束《しょうぞく》の日本人。

「俺のでよければ、いくらでも賞を送ってやるよ。授賞式をしたっていいぐらいだ」

と答える護堂は、枯れ草の上であぐらをかいていた。

さすがに疲れ切っていたのだ。

ただ、さんざん切り刻まれ、痛めつけられたくせにあまり苦しくない。胸の深傷《ふかで》も、ふさがり始めている。カンピオーネの肉体が持つ快復力は、あいかわらず非常識だった。

それにしても――。

半分は自分の仕業ながら、この庭園の惨状はひどい。

ここが浜離宮恩賜庭園《はまりきゅうおんしていえん》だと一目でわかる東京都民は、はたして何人いるだろう？

いつのまにか、地面にはクレーターのような大穴が穿たれている。

江戸の昔から受け継いできた松林も、色とりどりの花々が咲き乱れていた花園も、アテナと護堂が大暴れした結果、ほとんど原形を留めていない。

……またやりすぎてしまったと、深く反省する護堂であった。

「それで、この迷惑な女神さまをどうするつもりなの？　わたしは早くとどめを刺すべきだと思うけど」

「……私も同感です。アテナを放置しては、いずれ禍根《かこん》となるかもしれません。然《しか》るべき手を打つべきではないでしょうか」

やや皮肉っぽくエリカが言い、祐理《ゆり》も少し口ごもりながら訴える。

彼女らの視線の先には、拗《す》ねた幼女のような顔で座り込むアテナがいた。

『白馬』の焔に灼かれたせいか、単に力を消耗しただけなのか、闇の地母神は背丈が縮み、数時間前と同じ幼女の姿であった。

さすがは不死の神性を持つ女神。あの焔にも灼き尽くされず、再生を遂げたのだ。

まあ、あれで完全に死ぬとは護堂も思ってはいなかった。

もう戦う力は残ってないはずだが、恐るべき生命力だと言える。

「なあ万里谷《まりや》、今のって例のヤツか？　ほら、巫女さんの霊感だか予知だか」

「いえ、普通に考えただけですが……。そんなこと、巫女でなくともわかります」

祐理の答えを聞いて、護堂は安心した。

不吉な予知をされても同じ結論を出したとは思うが、それでも気休めにはなる。

「なら、この辺で手打ちにしよう。——聞いたか、アテナ。この連中があんたを始末しろってうるさいんだ。とっとと、この国から出てってくれよ」

「——何故《なぜ》そうしない？　妾《わらわ》を屠《ほふ》れば、新たな権能《けんのう》を簒奪《さんだつ》できるぞ。あなたはより強き神殺しとなれるのだ。その好機を、何故見逃す？」

ふてくされたように言うアテナへ、護堂はうんざりとした表情で答えた。

「こんな訳のわからない力、もういらないよ。いま持ってる分だって、持てあましているんだから。それにな、たかが喧嘩《けんか》で相手を殺せるか。俺はれっきとした文明人だぞ？」

「何？」

「俺は、青銅器だか鉄器時代に生まれた神様じゃないんだ。今は二一世紀だ。決闘《けっとう》で命のやりとりをする風習はない。古代の習俗《しゅうぞく》を押しつけるのはやめてくれ」

何か言いたげなエリカと祐理を視線で抑えながら、護堂は続ける。

「俺は勝負事にはいつも勝ちたい方だけど、相手を殺したいとか思ったことは一回もないぞ。まあ、どうしても納得できないなら、諦めてくれ。言うことを聞かせるのは勝者の特権。言うことに従うのは敗者の義務。——それでどうだ？」

だいぶ背丈が低くなったアテナへ、護堂は問いかける。

女神は長い沈黙のあとで、ようやくうなずいた。

「…………よかろう。敗者は勝者の言い分に従うのみ。次もまた戦うか否かは知らぬが、壮健《そうけん》であれ。縁があれば、いずれ再会するときもあろう」

銀の髪を揺らして、アテナは立ち上がった。

「妾に土をつけた男の名、この胸に刻みつけておく。──さらばだ、草薙《くさなぎ》護堂《ごどう》！」

護堂たちに背を向けると、アテナはゆっくりと歩き出した。

その小さな背中が見えなくなってから、エリカがわざとらしくため息をついた。

「あのね護堂、『まつろわぬ神』に勝っても命を奪わなければ権能は増えないのよ？」

「簡単に殺せとか言うな。大体、神様たちは倒しても平気で復活したりするんだぞ。上手くいかなくて当然だ」

物騒なことを言う相棒に、護堂は顔をしかめて反論した。

何しろ復活や再生は当たり前のようにこなす、不死身の怪物揃いなのだ。そのおかげで、殺す心配なく攻撃できるという恩恵《おんけい》もあったが。

「まあ、そうだけど、殺す気がなかったのも事実でしょう？　あー、護堂には早く一人前になってもらいたいのに。こんな調子じゃ先が思い遣られるわ」

「これ以上、化け物みたくなってたまるか。他人事だと思って、簡単に言うなよ。……そうだ、万里谷は何ともないか？　だいぶ弱っていたみたいだけど」

さっきから妙に冷たいまなざしの祐理へ、護堂は訊ねた。

別れる直前は、もっとやわらかで優しい顔だった。だというのに、今の彼女は炸裂《さくれつ》する寸前の地雷のようにも見える。

やはり、体調が良くないのかもしれない。あれだけ無理させたのだから、当然か。

顔色をよく見ようと、護堂は目を凝《こ》らした。

「私でしたら、もう全く問題はございません。草薙さんに助けていただいたおかげですね。本当に、ありがとうございます」

冷たい。

丁寧な言葉の端々に、微妙なとげとげしさと冷たさが感じられる。

……彼女はもしかして、相当怒っていたりするのだろうか？　ここは早急に謝っておくべきだと、護堂は保身の算段をした。情けないが、背に腹は代えられない。

「なあ万里谷、今回の件では本当に迷惑をかけた。この通り、申し訳ない」

頭を下げてから、自分が腰を下ろしたままなのに気がついた。

しまった。

礼儀がなってないと叱《しか》られるかもと、不安になる。だが、祐理はそこに関してはスルーして、全く思いも寄らぬ方面から攻め込んできた。

「いえ、そのことはもう結構です。たしかに草薙さんのせいでものすごい目に遭《あ》いましたが、助けてもいただきました。だから、本当にもういいんです。それよりも私、お訊ねしておきたいことがあります」

数時間前に目撃したばかりの、夜叉《やしゃ》の微笑。

それが再び、祐理の優美な面差しに浮かんでいる。——恐い。

「あなたは正真正銘《しょうめい》の魔王――真のカンピオーネたる権能の所有者です。ですが、何でも思いのままに振る舞っていいというわけではありません。そのことについて、どうお考えなのでしょう？」

「ん、いや、まあ……万里谷の言う通りだと思うよ。本当に」

「でしたら、何故もっと周囲に気を遣われないんですか！　この庭園もひどいですけど、あれの後始末をどうなさるおつもりなんです!?」

凛々しい顔つきで祐理が指さした先。

遥か上方、夜空に浮かぶ惨状を目撃した瞬間、護堂は絶句した。

「げっ……」

天高くそびえ立つ、とある高層ビルの屋上付近。

このビルの屋上が、三分の二ほどごっそりと削り取られていた。まるでバターの山をナイフで削り取りでもしたかのように、綺麗《きれい》さっぱりと消え失せていた。

そして、その斜め下にある首都高の高架線。

こちらも、その箇所がごっそりと消失していた。まるで氷柱をバーナーの火で溶かしでもしたかのように、綺麗さっぱりと消え失せていた。

まちがいなく、『白馬』の焔を天から落としたときに巻きこんだのだろう。

余程の超高熱だったのか、消滅した高架線の周囲が、どろどろに溶解しているのが見て取れる。アメでもバターでも氷でもなく、鉄筋のコンクリートだというのに。

「ああいうのって、溶けた部分だけ直したりできるのかしらね？」

「どうかな。できるとしても、結構な手間になりそうだけど。特に、ビルの上なんか足場組むだけでも大変そうだぞ」

エリカと護堂は、世間話のようにささやき合った。

前者はたいした事態だと思っておらず、後者はつい現実逃避したくなったために、そんな雰囲気になったのだ。

「私、昼間申し上げたばかりですよね？　あなたは周囲への配慮が足らなすぎる、と。あれから一日も経たないというのに、何て失態ですか」

唯一、常識と正義感の権化《ごんげ》と化した祐理が、冷たい声音で言う。

「おまけに、いやらしい方です。ふしだらです。色魔です！　あなたみたいに下劣で好色で淫《いん》蕩《とう》で慎みのない方が魔王の力を手に入れるだなんて、この世の終わりとしか思えません！　見直して損しました。ええ、一瞬でも頼もしいところもある、誠実な方だと思った自分が浅はかで、口惜《くちお》しくてたまりません！」

「ええと、万里谷……いやらしいとか色魔とかってのは、少しちがうような——」

妙に興奮気味の巫女さんへ、護堂はおずおずと呼びかける。

途端に、白刃のような目つきで睨まれてしまった。

「まあ、草薙さんったら、お忘れなのですね。何ですか、さっきのアレは？　イタリア人のエリカさんならともかく、日本の男性があのようにいやらしい真似をなさるなんて、恥というものをお考えになるべきです。不潔です！」

「あ、あれって何だよ？　俺、変なことしたか？」

「覚えていらっしゃらないのですか？　あんなに熱烈な――ええ、熱烈なキ、キ、いえ、ふしだらなことをされていたのに！」

何が祐理を怒らせているのか、護堂はようやく理解した。

同時に困った。

口下手な自分が、あれはアテナを倒すための魔術だったのだと説明するのは難しい。ここは口の達者なヤツを頼るべきか。

エリカへ目で助けを請う。直後、自分が掘った墓穴に気づいてしまった。

「ふふっ、祐理はあれが気に入らなかったんだ。奥ゆかしいのね。――護堂も最初は、そんな感じだったのにねェ～」

何を言うのだ、こいつは。『最初は』は余計だろう!?

「古来、勇者を祝福するのは乙女の口づけというのが相場でしょう？　だから、いつもああやって力づけてあげているの。護堂ったら、最初は恥《は》ずかしがっていたんだけどね、その内あれがないと戦えないようになっちゃって――。ほんと、困った人なんだから」

エリカの説明を聞いて、護堂は絶望感を味わった。

全て嘘を言っているわけではない。しかし微妙に事実を歪曲《わいきょく》し、伝えるべき情報を故意に隠蔽《いんぺい》している。非常に悪意のある説明だった。

「いや、ちがうんだ万里谷。本当のことを言うとだな」

「言い訳でしたら、結構です。大体の事情は察しがついていますから」

「察しって――」

「ああやってエリカさんに誘惑《ゆうわく》されて、その度に草薙さんは彼女のおねだりを聞いてきたのでしょう？　わかってるんですから。ええ、草薙さんも所詮は男性ですからね。愛人さんの色仕掛けにはすぐ甘い顔をなさるんでしょう？」

全ての言い訳は容赦《ようしゃ》なく切り捨てる。

そう言いたげに、祐理は微笑んだ。美しく冷たく、酷薄《こくはく》に。

「今日はもう遅いので、長々とお話しするのはやめておきましょう。明日、七雄《なな お》のお社《やしろ》にいらして下さい。時間を気にせず、じっくりとお説教して差し上げます。――私、真面目にお話したいので、おひとりでいらして下さいね。必ず、愛人さんは抜きで」

有無を言わさぬ口調での、処刑宣告。

その迫力に気圧《け お》され、思わず「はい」と答える護堂であった。

# 終章

アテナと対決した夜の翌日は、土曜日だった。

世間一般と同様、草薙護堂《くさなぎごどう》の通う城楠学院《じょうなん》も休日である。戦いで傷つき、疲れた体をのんびり休める――そんな一日にできたはずなのに。

万里谷祐理《まりやゆり》に会いに行った結果、さんざんお説教されて身も心も憔悴《しょうすい》した。

とはいえ、護堂《ごどう》も努力はしたのだ。

どんなトラブルに巻きこまれたときでも平和的に解決すべく、自分がいかに努力しているのか。また、昨夜のエリカとの行為《こうい》がどのような実用性を持ち、戦いを優位に運ぶために不可欠な要素だったのか。

それらを真摯《しんし》に、誠意を尽くして説明した。

しかし、祐理の反応は冷たかった。

「なるほど、そうなのですね。ですが草薙《くさなぎ》さんのお立場では、その努力を結果に反映させることが要求されます。ただ努力しているとおっしゃられても――」

と、にべもなく切り捨てられたり、

「まあ、そうでしたか。……で、今の言い訳をお考えになったのは草薙さん？　それともエリカさんですか？　あまりに荒唐無稽《こうとうむけい》すぎはしませんか。真実味に欠けますし、ご都合主義も甚《はなは》だしいような。そのような妄言《もうげん》で私を欺《あざむ》けるとお思いなのですね――」

と、ダメ出しされたりした。

結局、三時間あまりも延々と説教され、冷たくされ、たっぷりと諭《さと》された。

臈長《ろうた》けた美少女と向かい合い、しかもふたりきりで語らう。まさか、そんな時間がこれほどの苦痛になるとは……。

この日の祐理はどこまでも冷ややかで、やたらとトゲトゲしかった。

それでも、いろいろと気を遣《つか》ってくれたのはありがたい。

たまに会話が途切れたときなどは、しきりに護堂の体調を気にしていた。

「……本当に、何ともないんですね？　あなたがいくら頑丈《がんじょう》な人で、普通でない体でも、万一ということはあり得るんですよ？　……もう無傷だなんて、信じられません。普通じゃないです。やっぱり、そんなデタラメな方だからあれほど非常識なことをなさるんですね！」

ちょっと怒《おこ》ったように、なじりながら言われたものだ。

あまり素直な言い方ではなかったが、こちらを案じてくれているのはわかった。

昨日死にかけたのは彼女も同じなのに、自分よりも他人を気遣ってくれる。やはり心根のやさしい、芯の強い娘なのだ。

――どれだけ怒られても、冷たくされても感謝しなくちゃ罰《ばち》が当たる。

そう思った護堂は、ようやくお説教が終わったところで丁寧《ていねい》に頭を下げた。

途端《とたん》に祐理は赤面し、困ったような表情で「こちらこそ少し言い過ぎました……」などとゴニョゴニョ言いながら恥《は》じ入っていたのだが。


というのが土曜日の話。

次の日曜日も、さんざんな目に遭《あ》った。

事の始まりは護堂が数社の新聞を読み比べ、居間のテレビでニュース番組などをチェックしていたときである。

江戸川《えどがわ》・江東《こうとう》・中央《ちゅうおう》・港区《みなとく》の大半が闇《やみ》に呑《の》まれた約四時間。

これについて、公式には送電施設の故障、原因は現在も究明《きゅうめい》中——という、まったく説明になってない発表が行われた。

テレビや新聞を確認したところ、いずれのメディアでも扱いは大きい。

しかし、一切の火が使えなくなり、光と火に関わらない道具が使用可能だった件に関しては、詳しい報道はどこでもされていなかった。

明らかに情報操作が行われている。

正史編纂《せいしへんさん》委員会。

昨日聞いた連中が、大いに働いたのかもしれない。いや、きっとそうだ。

ただ、こうした工作の利きにくいネットなどではどう展開していくのだろう？　などと護堂が考え込んでいたときのことだ。

静花《しずか》がガラス戸を開けて、居間に入ってきた。

なぜか妹の目は険しく、どこか殺気立っている。変な感じだった。

「どうした？　機嫌《きげん》悪そうだな？」

「べつに。――あたし、さっき茶道部の部活で万里谷先輩に会ったんだけど」

だから何なのだ？

護堂は新聞を読みながら、聞き流していた。たいした話でもなさそうだ。

「先輩がお兄ちゃんに、昨日は失礼しましたとお伝え下さいだって。なんだか申し訳なさそうだったよ」

「そうか。そんなの気にしなくてもいいのに、律儀《りちぎ》なヤツだなあ」

生返事をしながら、のんきに新聞をめくる。

ところが、事態は予想もしない方向に向かっていった。

「お兄ちゃんと先輩、昨日も会ってたんだ？　電話で約束したの、金曜日だったよね。そして昨日、土曜日もふたりでこそこそ会っていたと……。ねえ、そろそろ白状して欲しいんだけど」

と、いきなり静花が言い出したのだ。

「万里谷先輩とはどういう関係なの？　二日も続けて逢ってるなんて、普通じゃないよね？

只《ただ》の友達……って感じでもないし。どうなの、お兄ちゃん。やましいところはないって、神かけて誓える？　ねえ、どうなの？」

執拗《しつよう》な、そして妙に切実そうな追及。

おまけにエリカのことまで途中で思い出され、さらに拍車《はくしゃ》がかかった。

「まさか、二股《ふたまた》!?　……やっぱり、そうなんだ！　いつかおじいちゃんみたいになるかもって心配してたら、案の定じゃない！　――あれだけ頑張ってた野球をやめたときから、変だと思ってた。もしかして、よからぬ楽しみを覚えて健全なスポーツをやってられなくなったんじゃって……見損なったわ、お兄ちゃん！」

妹よ、なぜ憶測《おくそく》で兄を見損なう？

そんな護堂の反論を、静花はまったく取り合わなかった。

「ふん、お兄ちゃんの顔を見てれば、ウソついてるかどうかなんて丸わかりだもん！　今のお兄ちゃんは、何か隠し事をしてるときの顔よ！」

あっさりと一刀両断された。

やましくはない。やましくはないのだが、公言できるような内容でもない。

結局、護堂はひたすら妹から逃げ回る羽目になった。

そして月曜日の朝。

体は快復したものの心は憔悴《しょうすい》しきったまま、護堂は家を出た。

――こんな休日はまちがっている。

強く、心に思う。

ローマへ強行軍で遠征して決闘騒《けっとうさわ》ぎの次は、ひたすら巫女《みこ》さんや妹から責め立てられる。二週連続でこれでは身が保たない。

休日とは楽しく平和に、のんびりと過ごすべきではないか。

唯一《ゆいいつ》幸いだったのは、なぜかエリカには振り回されずに済んだことだ。

アテナと対決した夜に別れたきりだったので、実は何度も電話をかけていた。

彼女と会えば只では済まないとわかってはいたが、わざわざイタリアから来てくれたのだ。帰国する前に顔を合わせておくのが筋《すじ》というものだろう。アンナにもちゃんと別れの挨拶《あいさつ》をしておきたい。

しかし携帯電話はつながらず、あちらも姿を見せなかった。

――まさか、もう帰ってしまったのか。いや、それはエリカらしくない。

釈然《しゃくぜん》としない気持ちで、護堂は通い慣れた通学路を歩く。

いっしょに登校することも多い妹は、今朝はいない。日直の仕事があるとかで、一足早く家を出ていた。

私立城楠《じょうなん》学院、高等部。

リベラルな校風が特長といえなくもない、ありふれた学校の一年生。

それが草薙護堂の、世間一般での肩書きなのだ。カンピオーネでも悪鬼羅刹《あっきらせつ》でも、第六天魔王でもない。

「そういえば、あの夜、アンナさんが変なこと言ってなかったか……？」

ふと思い当たって、護堂は首を傾げた。

生きて帰ったら、お祝いに手料理をふるまうとか何とか。

出張中なのに、どこで料理をするつもりだったのだろう？　いや、次に護堂がイタリアへ行ったときという意味だったのか……。

考え事をしながらも、護堂は歩き続ける。

全ての事情を理解したのは、進行方向のやや先で待つ少女の姿に気づいた瞬間だった。

「チャオ、護堂。どう？　この服、似合ってる？　制服って初めてだから、変な感じね」

聞き慣れた声での、なれなれしい呼びかけ。

目立つ容姿の彼女は、見慣れた衣服に身を包んでいた。

そうか。アンナはあのときもう、主のお供で日本に長期滞在するつもりだったのだ。このために エリカは、日本語に堪能《たんのう》な側近を用意していたのか。

「なあエリカ……もう何となく理解してるんだけど、一応訊《き》きたい。おまえ、まさか日本で暮らすつもりなのか？　その格好は何だよ!?」

「だから、制服。護堂の学校のでしょう、これ？　わざわざ同じ服を着させる必要性が理解できないけど、仕方ないわね。郷に入っては郷に従《したが》えともいうし」

見せびらかすように金髪をなびかせ、エリカはくるりと一回りしてみせた。

彼女が着ているのは、城楠高等部のブレザーだった。

日本の少女たちとは、腰《こし》の高さが明らかにちがう。着ている服が同じため、かえって足の長さの差がよくわかった。

「今日から、護堂の高校に留学することになったの。週末は引っ越しでバタバタしてたから電話に気づかなくて、ごめんなさいね」

悪魔めいた笑顔で微笑《ほほえ》みかけてくる。

何がごめんなさいだ。護堂は心のなかで毒づいた。

エリカのことだから、わざと出なかったに決まっている。このときのために——心底驚く護堂の顔を眺《なが》めて愉《たの》しむために！

「……おまえなあ、ミラノで怪しい秘密結社の仕事があるんだろう？　結構、責任のある立場なんだろう？　こんな勝手していいのかよ？」

「もちろん。護堂のお世話をしにいくって言ったら、みんな快《こころよ》く送り出してくれたわ。あなたは自分の立場を理解してないわね。カンピオーネとの絆《きずな》を保つためだったら、たとえ大幹部にだって長期出張させるわよ」

エリカが、獲物をしとめる女豹《めひょう》のような足取りで近づいてくる。

気づいたときには、もう手首を取られていた。

「これからは、毎日いっしょだからね。根回しもしておいたから、護堂と同じクラスに編入されるはずよ。さあ、行きましょう」

強引に手を握りながら、エリカは学校への道を歩き出す。

あまりに力が強いため、振り払えない。

ここを切り抜ける突破口はないかと、護堂は周囲を見回し——そして絶望した。

「……草薙さん。あなたという人は、昨日の今日でもうそんな破廉恥《はれんち》な真似《まね》をなさって！」

無論、護堂には神へ祈る資格はないはずなのだが。

このときばかりは、神の采配《さいはい》の理不尽さを呪わずにはいられなかった。よりにもよって、こんな朝に万里谷祐理と遭遇《そうぐう》させなくてもいいだろうに！

当然のことながら、祐理はエリカと同じ城楠のブレザーに身を包んでいた。

この娘の制服姿を見るのは初めてだったが、清楚《せいそ》でよく似合う。ただし、怜悧《れいり》極まりない夜叉《やしゃ》の顔で近づいてこなければ、だが。

「おふたりとも離れなさい！　その制服はどういうことですか、エリカさん？　——まさかあなた、日本に留まるおつもりなのですか？」

氷のように冷たい目で、祐理が見据《みす》えてくる。

もちろん、この氷の内部には怒りが烈火《れっか》のごとく渦《うず》巻いているはずだ。

「ええ。だって、愛し合うふたりが飛行機で一二時間もかけて再会しなくちゃならないなんて、まちがってるもの。仕事の面でもこの方が都合いいし、いいこと尽《つ》くしでしょ？」

静かに怒る媛巫女《ひめみこ》へ、エリカはあっけらかんと言う。

仕事って——こいつはやっぱり、俺の力を利用するつもり満々だなァと、護堂はむしろ感心した。こういう陰にこもらない正直さが、良くも悪くもエリカの人間性なのだ。狡猾《こうかつ》な策も練るし、人も利用する魔女。

それでも護堂が彼女を遠ざける気にならないのは、この脳天気な正直さのためだった。とはいえ、祐理のように生真面目な少女からすれば、護堂が色仕掛けでたぶらかされているように見えるのかもしれない。

——そんな状況分析で現実逃避する護堂へ、祐理はいきなり向き直った。

「この間、申し上げたばかりじゃないですか。もっと毅然《きぜん》として、エリカさんの誘惑を断ち切って下さいと。わ、私は真剣にお願いしていたのに、これはどういうことですかッ？」

「わ、悪い万里谷。いや、俺も全然知らなかったことなんだよ。……まあ、わかっていてもエリカを止められたとは思わないけど」

「もう！　その調子でエリカさんにおねだりされたら、また鼻の下をのばして言う通りにするんですね。この前、痛い目に遭ったばかりなのに！」

祐理がぷりぷりと怒っている。

無理もない。東京をあれだけの混乱に陥《おとしい》れた元凶は、まちがいなくエリカと護堂なのだ。お小言などいくらでも出てくることだろう。

「つまらない話はやめて、早く学校へ行きましょうよ。ずっと一緒にいられるからって、蜜月《みつげつ》の時間が長いに越したことはないわ。どこかで腰を落ち着けて、じっくりと、ね？」

「!?　草薙さん、エリカさんのはしたない誘惑に乗ってはいけませんからね！　――そうです、今日からは私も当分ご一緒します。変な真似《まね》をされないよう、傍でずっと見張っていて差し上げます！」

ここに至って、護堂は現状の危うさに気づきだした。

問　客観的《きゃっかん》に分析すると、今の自分は何だ？

答　金髪の美少女と手をつないで登校していると、学院一と評判の容姿端麗《ようしたんれい》な女生徒にすがりつかれてしまった男子生徒。

そう、祐理も興奮しているせいか、いつのまにか護堂の胸元ににじり寄っていた。

まるで金髪の愛人との浮気へ走ろうとするダメ亭主に、すがりついて思いとどまるよう涙する正妻のように……。

同じ城楠へ向かう生徒たちの視線が痛い。皆、犯罪者を見つめる表情だ。

――護堂は戦慄《せんりつ》した。

このままでは、自分は悪い意味で有名人になってしまう!?

「あ、そうだ。せっかく日本で暮らすんだから、護堂の家族にもちゃんとわたしを紹介してよね。そろそろ家族ぐるみでおつきあいするべきだと思うのよね、わたしたち」

「いけません、草薙さん！　こんな女性とのおつきあいを、静花さんに――妹さんに何と報告されるんですか。他のご家族だって！」

「大丈夫よ。わたしが愛想《あいそ》よくしていれば、たいていの人間は歓迎してくれるはずだもの。それに関しては自信があるから、安心して」

「あなたは、草薙さんのご家族までたぶらかすおつもりですか!?」

「人聞きの悪いことは言わないで。恋人の家族と仲良くするのは当たり前じゃない。ねえ、護堂?」

「草薙さん! あなたも黙《だま》ってないで、エリカさんを止めてください!」

ふたりの少女にまとわりつかれて、護堂は逃げ道を失った。

この窮地《きゅうち》をどうすれば切り抜けられるか、どれだけ考えても思いつかない。彼にできることは、どこかにいるかもしれない救いの神へ祈ることだけだった。

——神様、どうか自分に平和な生活をください。

贅沢《ぜいたく》は言いません。自分はただ、神様とも悪魔とも会わなくていい、穏《おだ》やかに暮らせる日常が欲しいだけなんです。だから神様、お願いします。

草薙護堂の切実な願いは、当分かなう見込みはなさそうだった。

Campione!

# あとがき

この本を読んでくださった皆様。

もしくは、あとがきから読んでくださっているフライング気味な皆様。

はじめまして、丈月城《たけづきじょう》です。小説なる形式で書いた原稿を世に出すのは、本作が初めてと相成《あいなり》ります。

この度、縁あってスーパーダッシュ文庫より本を出版させていただくこととなりました。

以後、お見知りおきいただければ幸いです。

ところで「君子は怪力乱神を語らず」と申しますが、本作はその全《すべ》てを盛り込んだ不真面目かつ不謹慎《ふきんしん》な内容となっております。できれば、その辺の罰当《ばちあ》たりな部分に関しては、笑ってお許しいただければいいなァと願っています、はい。

特に、もしかしたら実在するかもしれない天上のやんごとなき神様たちに。

これでもわたくし、正月には初詣《はつもうで》とお賽銭《さいせん》を欠かさない程度の信心は持ち合わせている人間でして、来年も薄謝《はくしや》を惜しまない所存です。どうか、ご容赦《ようしや》を。

ちなみに、本書の内容は完全なフィクションです。

実在の人物・団体・宗教・地名・その他とは一切関係がございません。作中、特定の場所を想起させる名称・描写があったとしても、それは偶然の一致なのです。モデルなんかじゃありません。

……本当ですよ？

僕の目を見てください。ウソを言っている人間にこんな綺麗《きれい》な目はできませんから。え、見えない？　そうですか。


それはさておき、本編について。

著作権という言葉の存在しなかった遥《はる》か古代、われわれ人類が物語を紡《つむ》ぐ工程は非常に大らかと申しますか、ユルいものでした。

神話も、その産物です。

割と似通《にかよ》った筋立《すじだ》てやシチュエーションを持つエピソードが、世界中に多々あります。死せる妻イザナミを迎えに黄泉《よみ》の国へ旅立つイザナギの物語と、同じく亡き妻を取り戻そうとして冥府《めいふ》へ下るオルフェウスの伝説のように。

これはもちろん、ただの偶然《ぐうぜん》ではないわけでして。

同じ起源を持つ物語が、ディテールを変えて日本とギリシアに伝播《でんぱ》した結果であることは多くの方々が指摘するところです。長い年月をかけた、雄大なスケールでの文化の伝来や民族の移動が生み出した現象なのでしょう。

……ま、もっとシンプルに「軽い気持ちでパクった」ケースもあるはずですが。

余所《よそ》の地域の神さまを邪神・大悪魔・怪獣として自分たちの神に退治させる事例が少なくないのは、なかなかに業が深いところです。

——さて。

この真剣に追究しようとすれば果てのないほど深遠なテーマに対して、根が不真面目な僕は非常にアバウトなアプローチ法を思いつきました。

その結果が本書「カンピオーネ！」です。

超必殺技しか持たない主人公が、途中のレベル上げ行程をすっとばして大ボス《かみさま》と戦う物語であります。

お楽しみいただけたのであれば、良いのですが。

——え？

エリカの方が主人公っぽく見える？

ははは、そんなことあるわけないじゃないですか。ねえ、そんなこと——イラスト多いし、強いし、目立つし、赤《レッド》だし。そんな、こと……。

…………。

ま、そこはスルーの方向で。

最後になりますが、本作の刊行にご尽力いただきました関係者各位には、この場を借りてお礼申し上げます。また、執筆中に不義理を重ねました友人諸氏にはお詫《わ》びを。

そして、ここまでお読みいただいた全ての方々に感謝の念を。

二〇〇八年四月　丈月城

# あとがき

■はじめまして！
挿絵を担当させていただきましたシコルスキーと申します。
あとがきに2Pも貰ってしまったので
個人的に描き足りなかった○○○（ネタバレになるので伏字）を描いて
キャラデザラフを添えてみました。
表紙イラストの二人も好きですが、シコルの一押しはこのキャラです。

と言ってもロリコンではありません、念のため！

ぶろぐやってます↓
http://www.sikorsky.sakura.ne.jp/

この作品の感想をお寄せください。

あて先　〒101－8050
東京都千代田区一ツ橋２－５－10
集英社　スーパーダッシュ文庫編集部気付

丈月　城先生

シコルスキー先生

# カンピオーネ!
## 神はまつろわず

丈月　城

集英社スーパーダッシュ文庫

2008年5月28日　第1刷発行
2010年1月24日　第8刷発行
★定価はカバーに表示してあります

発行者
太田富雄

発行所
株式会社 集英社
〒101－8050　東京都千代田区一ツ橋2－5－10
03(3239)5263(編集)
03(3230)6393(販売)・03(3230)6080(読者係)

印刷所
凸版印刷株式会社



ISBN978－4－08－630428－3　C0193